De goochelaar, de geit en ik

Ander werk van Dirk Weber

Kies mij! (2005, verkrijgbaar als e-book)
Duivendrop (2008) Zilveren Griffel 2009
Hij of ik (2010, ook verkrijgbaar als e-book)

Dirk Weber

De goochelaar, de geit en ik

Amsterdam · Antwerpen
Em. Querido's Uitgeverij BV
2014

www.queridokinderboeken.nl
www.dirkweber.nl

Dit boek is ook verkrijgbaar als e-book.

Omslag Dirk Weber

ISBN 978 90 451 1614 3 / NUR 283

Voor Olivier en Simon

Een buikspreker met een baard

'Je moet slapen. Het is al laat.'

Joris wil helemaal niet slapen. Hij wil dat ik hem de brief van papa voorlees. Hij zit rechtop in zijn bed en pakt mijn arm.

'Je had het beloofd, Miel!'

'Morgen. Ik doe het morgen.'

'Nee, nu.'

'Er zit ook een tekening voor jou bij, een puzzel. Als je die vanavond doet, dan lees ik morgen de brief voor.' Ik haal de brief, de opdrachten voor mijzelf en de puzzel voor Joris uit de envelop en laat hem het doolhof zien dat papa getekend heeft. Boven aan het vel staat een visser met een hengel, onderaan een grote vis die opspringt uit het water en ertussen is een cirkelvormig doolhof getekend. *Voor Joris* is er naast de visser geschreven. Joris komt iets overeind in zijn bed en kijkt naar de tekening. Hij is er blij mee, maar dat wil hij niet laten zien.

'Makkelijk,' zegt hij.

'Je mag niet door de muurtjes, één lijn van de visser naar de vis.'

'Hartstikke makkelijk.'

'Ja ja.' Ik probeer het pad te volgen door het doolhof en het is helemaal niet zo makkelijk.

'Ik doe het in tien tellen en dan lees je mij de brief voor.'

'En als je het niet haalt in tien tellen?'

'Dan morgen.'

'Afgesproken. Jij doet het in tien tellen en als je er langer over doet lees ik de brief morgen voor. En je gaat meteen slapen.'

'Maar pas tellen als ik een potlood heb!'

Ik leg het papier met de tekening naar beneden op het bed zodat Joris niet stiekem kan beginnen en pak een potlood. Als ik hem het potlood toesteek, kijkt hij me aan en ik voel dat hij een plannetje heeft. Even hebben we beiden het potlood vast.

'Tien tellen, gewone tellen. Niet door de muurtjes,' probeer ik nog, maar ik weet dat ik iets over het hoofd zie.

'Jij mag tellen. Niet snel, gewoon. Geef.' Hij trekt aan het potlood en ik laat het los.

Ik pak de tekening en draai hem om. 'Je tijd gaat... nú in.'

Joris grijnst en zet het potlood bij de visser op het papier.

'Twee, drie...' tel ik.

En dan trekt Joris een lijn. Niet door het kronkelige doolhof maar in een ruime boog eromheen, van de visser naar de vis. Ik ben nog niet bij vijf.

'En nu voorlezen,' zegt Joris.

Stom! Ik had het kunnen weten. 'Het is een hele lange brief,' zucht ik. 'De helft.'

'Helemaal, je hebt het dubbel beloofd.'

Drie kantjes in het priegelige handschrift van mijn vader. Nog een diepe zucht. Ik heb het beloofd en dus begin ik.

'*Dinsdag 1 maart. Lieve zoons...*'

'Sla het eerste stukje maar over,' zegt Joris. Hij weet dat papa zijn brieven begint met vragen over school en over de taken thuis en daar houdt hij niet zo van.

Snel lees ik het eerste stukje:

Kom over tien dagen... Oefeningen... Mis jullie...

Dan begint het tweede deel van de brief, waarin hij over zichzelf vertelt:

Kunnen jullie je nog herinneren dat ik vertelde over het Mercuristheater? Het is een fijne zaal en de directeur, Henri, is een eerlijke man die houdt van illusionisme. Afgelopen woensdag heb ik er opgetreden. Ik was pas na de pauze aan de beurt, maar ik was alvast uit de kleedkamer gekomen om de andere optredens te zien. Het was geen gemakkelijk publiek woensdag, dat hoorde je meteen. De deuren waren al dicht, het zaallicht was al uit en nog zaten ze te praten en te lachen. Iemand floot ongeduldig op zijn vingers, iemand anders begon tegen de stoel voor hem te schoppen en al snel werd zijn getrappel bijgestaan door klappende handen: een, twee, drie vier, kómt er nog wat van! Toen ging het gordijn open. Een leeg podium, een spot die een cirkel tekende op de planken podiumvloer. Het werd stil, maar je voelde dat het zo om kon slaan. Van links kwam een jongeman het podium oplopen. Met zijn rechterhand sleepte hij een houten kruk mee, op zijn linkerarm zat een versleten buikspreekpop. Iemand begon te klappen, maar het zette niet door. De buikspreker zette de kruk in het midden van de lichtcirkel en ging zitten.

'Hoeduaventdamusinerun meennahmisKarlos inditisJoelioe,' zei de pop. Zijn kaak piepte en een van zijn ogen bleef na drie keer knipperen hangen in een halve knipoog.

'Wat voor een taal is dat?' vroeg een man op de eerste rij aan zijn vrouw.

'Ik versta er niks van,' mopperde iemand anders.

'Harder!' klonk het van achter uit de zaal.

'Goedenavond dames en heren, mijn naam is Julio en dit hier is Karlos,' zei de buikspreker.

'Hij heeft een baard!' riep een vrouw, en dat was zo. Julio had een baard.

'Hij speelt vals. Zo kan ik het ook. Je kan zijn mond helemaal niet zien!'

'Zulukunlitjuzingun?' murmelde de pop.

'Ja graag,' zei Julio. Hij zweette.

'Baard af! Baard af!' werd er geroepen. Eerst door één stem, maar al snel door een heel koor.

'Maiwonniisovuhdiosjun maiwonniisowuhtusi...' begon Karlos.

Julio liet de pop zachtjes heen en weer wiegen op de maat van het liedje. De houten benen zwierden van links naar rechts en het zag er aardig uit, maar dat viel niet veel mensen op. Op de tweede rij was een vrouw opgestaan. Uit haar tasje had ze een nagelschaartje gehaald dat ze triomfantelijk omhoogstak.

'Baard af! Baard af!' golfde door de zaal.

'... Owwringwekmaiwonnitoemitoemi...' stotterde Karlos.

Een man pakte de nagelschaar en stapte over de stoel in de rij voor hem en greep de rand van het podium. Julio kwam overeind, Karlos stopte met zingen, zijn mond bleef openstaan in een stomme schreeuw. De man probeerde op het podium te klimmen, maar de rand was hoog en het lukte niet direct. Mensen lachten.

'Baard af! Baard af!' scandeerde de zaal. Julio vergat de kruk en begon langzaam achteruit te lopen.

Door een gaatje in het achterdoek keek ik toe. Achter me zaten de andere artiesten. Irma met haar hondjes, Georg en Otto, de acrobaten en Rudolf met zijn zingende zaag. We keken elkaar aan. Ieder van ons had zoiets wel eens meegemaakt. Een zaal die je niet in de hand hebt is als vuur: je moet iets doen, en snel, voor het niet meer te beheersen is. Ik keek door het gaatje in het doek en moest denken aan mijn eerste optredens, vijftien jaar eerder. Arme Julio. Ik kon hem niet aan zijn lot overlaten. Het was nog lang mijn beurt niet maar ik stapte het podium op, liep naar de rand en stak mijn hand uit naar de man met de nagelschaar. Achter me maakte Julio dat hij wegkwam. De man met de schaar twijfelde, maar hij durfde mijn uitgestoken hand niet te weigeren.

'Een vrijwilliger, fantastisch,' riep ik.

Niets leuker dan leedvermaak. De zaal werd stil, voorin werd gelachen om de man met de schaar, die net nog de held was, maar nu onhandig het podium op klauterde. Hij ging ongemakkelijk naast me staan en lachte schaapachtig.

'Erg sportief van u, meneer...?'

'Luitink.'

'Meneer Luitink. Laat ik mij ook voorstellen. Leon Roossen is mijn naam, illusie mijn professie. Meneer Luitink, had u niet een schaar bij zich?'

Luitink stak zijn hand uit, maar toen hij hem opende was hij leeg: geen nagelschaar. Hij snapte er niets van.

'Zocht u deze?' Ik hield de schaar op en Luitink stak zijn hand ernaar uit, maar ik gaf hem iets anders: een horloge, zíjn horloge. Zijn mond viel open.

'U moet echt beter op uw spullen passen,' zei ik en de zaal lachte. Toen haalde ik een pen uit mijn zak. 'Komt deze u bekend voor?'

Luitink voelde in zijn binnenzak, zocht naar zijn pen maar kon hem niet vinden. 'Ja, die is van mij.'

'En deze...?' Een portefeuille.

Luitink lachte dom en knikte van ja. Meer gelach.

Ik vouwde de goed gevulde portefeuille open en floot bewonderend. 'Ik mag er vast wel eentje lenen. Het is maar voor even.'

Hoe kon hij het weigeren? Ik pakte een biljet van tien gulden. Luitink keek bezorgd, maar ik stelde hem met een handgebaar gerust en gaf hem de portefeuille terug. Uit de binnenzak van mijn jasje haalde ik een envelop en een potlood.

'Kunt u iets op het biljet schrijven? Uw naam, of een kruisje als dat niet lukt?'

Luitink pakte het potlood en zette een krabbel op het biljet.

Ik liet hem de envelop zien. 'Leeg, klopt dat?'

'Ja, de envelop is leeg.'

En toen stopte ik het geld in de envelop, likte aan de flap en plakte hem dicht. 'Zo. Kunt u uw handen even ophouden?'

Meneer Luitink stak zijn armen uit en vormde met zijn handen een kommetje, zoals ik voorgedaan had. Ik haalde het nagelschaartje tevoorschijn en knipte in een paar snelle bewegingen de envelop in snippers. Luitink keek geschrokken toe, de zaal lachte.

'Ik krijg het wel terug, hè?'

'U heeft het al terug.'

Luitink keek me vuil aan. Ik klopte hem op zijn schouder.

'Het is maar geld en u heeft er nog genoeg van.'

'Geen geintjes hè, goochelmaker,' siste Luitink.

Ik was er niet van onder de indruk.

'Mag ik?' Ik pakte de handen van Luitink en vouwde ze dicht. Toen leidde ik hem tot de rand van het podium. 'Ik tel af. Bij drie gooit u de snippers over de mensen in de zaal. Begrijpt u me? Bij drie. Niet eerder, niet later.'

Luitink knikte. Hij had het begrepen, maar leuk vond hij het allang niet meer.

'Een, twee... drie!'

Luitink deed wat ik hem gevraagd had, met tegenzin, maar toch. Met een zwaai gooide hij de snippers de zaal in. Een oogverblindende flits wit licht en alle snippers waren verdwenen. Luitink stond op de rand van het podium met zijn ogen te knipperen.

'Applaus voor meneer Luitink!'

Meneer Luitink lachte ongemakkelijk. 'Mijn geld, ik wil mijn geld terug,' fluisterde hij.

'Alles op zijn tijd. Kunt u nu teruggaan naar uw plaats?'

Luitink ging op zijn knieën zitten en liet zich van het podium zakken. Hij klom onhandig over de eerste rij naar zijn stoel maar hij ging nog niet zitten, bang dat hij naar zijn geld kon fluiten als hij dat zou doen.

'Meneer Luitink vraagt zich af of zijn geld werkelijk in rook is opgegaan. Ik kan hem geruststellen: ik ben wel de laatste die geld zou

verbranden. Meneer Luitink? Als u in uw rechterzak kijkt, vindt u daar het biljet dat u mij gegeven heeft. In uw linkerzak zit het schaartje van uw buurvrouw.'

Luitink doorzocht zijn zakken en vond het schaartje en het briefje van tien.

'Is dat het biljet met uw merkteken?'

'Ja.' Nu kon Luitink ook lachen. De zaal klapte en ik boog en verliet het podium. Brand geblust.

Op een bankje naast de deur van mijn kleedkamer zat Julio met Karlos op zijn schoot. Hij wilde overeind komen om me te bedanken maar ik hield hem tegen en ging naast hem zitten. Het was niet meer dan logisch dat ik hem geholpen had. Als je net begonnen bent loopt het wel eens anders dan je hoopt.

'Hier, dit moest ik je geven van meneer Luitink.' Ik haalde twee briefjes van tien uit mijn zak en gaf ze aan Julio. 'Om Karlos te laten repareren en om je baard af te laten scheren.'

Julio keek ongelovig naar het geld. 'Dat had ik echt niet gedacht,' zei hij. 'Ik moet hém bedanken.'

'Ja, nee. Het is inderdaad erg aardig, maar hij wilde het geheim houden. Zijn vrouw en zo, je begrijpt het.'

'Maar het is zovéél!'

'Tsja, hij zei: die jongen kan het beter gebruiken dan ik.'

'Dat had ik echt niet van hem verwacht.'

'Niet alles is wat het lijkt, hè.'

De brief eindigt als de andere, met groeten en opdrachten, en de belofte dat er snel een nieuwe brief volgt.

Joris gaapt. 'Mooi,' zegt hij.

'Je moet nog plassen.'

'Heb ik al gedaan.'

'Kom op. Ik heb je voorgelezen.'

'Maar het is koud.'

'Dan moet je rennen.'

Joris gaat met tegenzin de trap af. Ik hoor hem de keuken in gaan en de buitendeur opendoen om naar de wc op het plaatsje te gaan. Even later komt hij weer binnen. Hij zegt wat tegen oma en stommelt de trap op.

'Wat had papa voor jou meegestuurd, Miel?' vraagt hij als hij weer in bed ligt.

'Een kaarttruc.'

'O.' Hij is verder niet geïnteresseerd. Joris wil geen goochelaar worden. 'Slaap lekker.'

'Tot morgen.'

Een zoon van de goochelaar

Vooraan staan Fransje en Louis, Emma en Karel en daarachter de andere kinderen, bij elkaar wel zeven. Iets verderop staat Anton. Ver genoeg om te laten zien dat hij er niet bij hoort, dichtbij genoeg om alles te horen.

'...En die man deed wat mijn vader vroeg. Hij gooide de snippers de zaal in en in de lucht verbrandden ze in een grote flits. Weg waren ze. En die man stond daar te knipperen met zijn ogen en mijn vader stuurde hem naar zijn plek terug. Hij wilde natuurlijk helemaal niet terug, want dan was hij zijn geld kwijt. Maar hij ging toch en toen hij op zijn plaats was zei mijn vader: u bent natuurlijk bang dat u uw geld kwijt bent, maar kijkt u maar in uw zak want daar zit het in. En die man haalde het geld uit zijn zak...'

'Een ander biljet?' vraagt Louis.

'Nee, echt het biljet waar hij zijn letter op had geschreven. En in de andere zak zat het schaartje. Mijn vader boog en de zaal klapte en toen ging hij terug naar de kleedkamer, want hij moest zijn eigen optreden nog doen. En naast de kleedkamer zat de buikspreker. Mijn vader ging naast hem zitten en pakte zó twee briefjes van tien uit zijn zak. "Voor jou," zei hij. "Van die meneer die net op het podium stond, die je baard wilde afknippen. Voor de kapper en om je pop te maken." Die buikspreker geloofde het bijna niet.'

'Het is ook helemaal niet waar!' roept Fransje.

'Nee, dat weet ik, maar...'

'Je vader heeft dat geld uit die portefeuille gepakt! Dat is diefstal!'

'Maar hij gaf het allemaal aan de buikspreker, en die man...'

'Maar het is niet zíjn geld!'

Nu weet ik niet meer wat ik zeggen moet. Ik kan doen alsof het geld wel van mijn vader was, maar dat gelooft nu niemand meer en het is te laat om iets anders te bedenken over die man. Fransje loopt teleurgesteld weg en terwijl de andere kinderen ook afdruipen, blijft alleen Anton nog staan. Hij grijnst naar me en loopt dan met zijn handen in zijn zakken weg. Bij de ingang klapt de meester in zijn handen. Het is tijd.

Na school oefen ik op mijn kamer wat met kaarten, maar ik kan mijn gedachten er niet bij houden. Ik probeer te bedenken wat ik tegen Fransje had moeten zeggen, waarom het geen diefstal was. Dan roept oma van beneden.

'Camiel?'

'Ja oma.' Ik prik de brief van mijn vader met de uitleg van de kaarttruc met een speld op de muur boven mijn bed en ga naar beneden.

'Camiel? Opa vraagt waar je blijft.'

'Ik kom.'

Hoe lager je in het huis komt, hoe meer het stinkt. In de keuken naar het petroleumstel en naar het vlees dat erop staat te sudderen, in de voorkamer naar de sigaren van opa en beneden, in de werkplaats, naar leer en vet en lijm. Soms, als ik 's ochtends naar beneden kom, staat de lucht van de schoenmakerij me zo tegen dat ik er bijna van moet overgeven.

Ik ga de trap af naar het souterrain, de lucht wordt vetter, het licht meer gedimd. Opa zit achter de naaimachine en kijkt op als ik de werkplaats binnenstap. Joris zit naast hem op de werkbank en eet kaakjes.

'Je mag wel beginnen,' zegt opa. 'De hele bovenste plank moet nog af en je moet de schoenen van Marcus bezorgen.'

'Zal ik je helpen, Miel?' vraagt Joris.

'Help mij maar,' zegt opa. Hij weet dat de hulp van Joris je vooral tijd kost.

Op de bovenste plank van de kast staan zes paar schoenen en een paar klompen. Het is verf- en poetswerk, een paar nieuwe hakken en riempjes. Ik doe mijn schort om en pak het eerste paar. Eigenlijk heb ik niet eens zo'n hekel aan het werk. Het is leuk om dingen die kapot zijn heel te maken. Ik ben er ook best goed in, maar de werkplaats werkt op mijn zenuwen. Het is er te donker en te benauwd.

Goed, het eerste paar. Ik hoef het briefje niet eens te lezen om te weten van wie de schoenen zijn. Het zijn strenge schoenen waar opa voor de derde of vierde keer nieuwe zolen onder gezet heeft. De pastoor heeft zulke x-benen dat het bovenwerk de grond raakt. Met verf werk ik de kale binnenkanten bij, zet ze op de werkbank om te drogen en begin met het tweede paar. Een paar bruine rijglaarzen maat 36, een smalle leest, voor een meisje of een kleine vrouw. Het zijn oude schoenen maar goed onderhouden. Familieschoenen. De binnenzool is door opa vervangen en de ringetjes glanzen als een oude deurknop. Ik wrijf het leer in met vet en zet ze naast de schoenen van de pastoor, en zo werk ik het rijtje af. Ik werk zo snel als ik kan: ik wil naar buiten. Alleen bij het ponsen van de gaatjes voor de nieuwe wreefbanden op de klompen heb ik hulp van opa nodig. Zodra ik ze vast heb gezet, ga ik op pad met de schoenen van Marcus.

Aan het einde van de straat sla ik links af, loop langs het Bleekveld, tot voorbij de laatste huizen, waar de eerste boerderijen staan. Het Nedereind loopt van het dorp tot de Lange Steenweg, en de boerderijen hier hebben grote stukken grond. Grasland voor koeien en akkers voor graan, tot aan de bosrand. Hier en daar staat er midden in een veld nog een verdwaalde grenspaal, achtergebleven na de zoveelste grensverschuiving. Kobus, de hond van Lamers, blaft me tegemoet, maar als ik voorbijloop en mijn hand opsteek, stopt hij met blaffen en begint te kwispelen.

Marcus loopt altijd op klompen; alleen bij speciale gelegenheden draagt hij schoenen. Over een maand gaat zijn dochter trouwen en toen hij zijn schoenen alvast tevoorschijn haalde, zat in de rechterschoen een muizennest. Opa heeft het gat dat ze in de zijkant geknaagd hadden gemaakt, en alleen als je heel goed kijkt kan je nog zien waar het zat. Marcus zal er tevreden mee zijn.

Als ik op de keukendeur wil kloppen, komt Marcus net aanlopen.

'Jij komt de schoenen brengen. Is het gelukt?'

Ik houd de schoenen op en Marcus knikt tevreden.

'Loop even mee, krijg je het geld meteen.'

In de keuken zit de vrouw van Marcus. Marcus geeft haar het bonnetje van opa. Ze kijkt zuinig naar de schoenen, maar als ze ziet hoe mooi opa ze gemaakt heeft pakt ze de portemonnee en geeft me het geld.

'Alles goed thuis? Opa, oma, je broertje?'

'Goed, allemaal goed.'

'En nog wat gehoord van je vader?' vraagt Marcus.

'Een brief, zaterdag nog.'

'Mooi. Goochel je zelf nog?'
'Zeker! Zal ik wat laten zien?'
'Moet je niet terug?' vraagt de vrouw van Marcus.
'Een kleine truc kan wel, hoor.' Het is een mooie gelegenheid om de truc met de duimtip te proberen. Ik ga tegenover de vrouw van Marcus staan, goed in het licht met de tafel tussen ons in, en haal met een professioneel gebaar de rode doek uit mijn zak. Het is geen gewone doek maar een echte goocheldoek: dun als spinrag, zacht als zijde. Ik heb hem van mijn vader gekregen.
'Dame en heer, let goed op! Eén keer zwaaien nog met het doekje. Dan vouw ik mijn linkerhand dicht tot een knuist, met een opening aan de zijkant, en begin ik het doekje met de wijsvinger van mijn rechterhand in de opening van de linker te stoppen. Als het doekje bijna in de vuist verdwenen is, duw ik het met mijn rechterduim nog eens goed aan. Ik steek beide vuisten voor me uit en open vinger voor vinger mijn linkerhand. Leeg! Dan spreid ik de vingers van mijn rechterhand: ook leeg! Marcus klapt, zijn vrouw kijkt wantrouwend. Dingen kwijtmaken, dat is geen kunst, lijkt ze te denken.
'Wacht...' Ik steek een hand in de zak van mijn jack en daar komt de rode doek met een zwaai tevoorschijn. Maar niet alleen de rode doek. Voor de vrouw van Marcus valt iets op tafel. Ze kijkt en schrikt, schrikt zó dat ze in haar stoel achteruitschiet. De stoel kantelt en valt achterover tegen de muur.
Op tafel ligt een duim. Ik gris hem van de tafel. De vrouw van Marcus haalt raspend adem en Marcus klopt onhandig op haar hand.
'Hij is van papier-maché, kijk maar.' Ik heb de duim zelf gemaakt, een nepduim die je als een dop over je echte

duim kan doen en waarin je een dun doekje kan verbergen. Als je je handen beweegt, is nauwelijks te zien dat hij niet echt is en dat de duim waar hij overheen zit een stukje langer is dan de andere.

Mevrouw Marcus is niet erg geïnteresseerd in mijn uitleg. Ze hijgt als een drenkeling. Je kan maar beter gaan, gebaart Marcus. Ik knik dat ik het begrijp en ga snel naar buiten.

Halverwege het Nedereind komt dokter Roodhart me tegemoet. Hij is de enige dierenarts hier in de buurt en daarom doet hij zijn bezoeken meestal met de auto, maar nu is hij op de fiets en dat ziet er vreemd uit. De dokter heeft zijn tas aan zijn stuur hangen; daardoor moet hij met zijn benen wijd fietsen. Op de klinkers rammelt de doktерstas als die van een loodgieter. Dokter Roodhart ziet me en steekt een hand op, waardoor hij bijna zijn evenwicht verliest. Hij stopt naast me. Hij is buiten adem en lacht, half beschaamd en half opgelucht dat hij overeind gebleven is.

'Hallo dokter.'

'Auto kapot,' hijgt hij. Hij neemt even tijd om bij te komen. 'Dat ik op mijn leeftijd nog moet fietsen! Goed dat ik je tref. Heb je even?'

Eigenlijk moet ik naar huis, maar ik knik.

'Ik zou kunnen zeggen: spring achterop, maar ik denk dat het veiliger is als je gaat lopen. Het is niet ver. Bij Smaans.'

Ik help de dokter opstappen en ren naast zijn fiets tot de boerderij van Smaans. Het is een kleine boerderij met geiten, kippen, een paar varkens en een paard voor de ploeg. Smaans staat bij de deur van de stal en knikt naar ons als we het erf op komen. De dokter wil een hand opsteken maar bedenkt zich en zegt pas weer wat nadat hij van zijn fiets gestapt is.

'Smaans.'

'Dokter.'

'Laten we maar meteen even gaan kijken.'

Smaans knikt en doet de halve deur van de stal open. De ingang is zo laag dat zelfs ik moet bukken. Een paar tellen hebben mijn ogen nodig om te wennen aan het donker. In het schemerdonker staan tien, elf geiten samengedromd in een hoek van de stal. Samen met de dokter loop ik naar de geiten, die schuw achteruitschuifelen. Drie ervan zijn drachtig. Ik aai hun ruwe koppen, hun borstelige nek en voel dat ze ontspannen. Dat is mijn taak: dieren worden rustig van me. Daar hoef ik niets voor te doen, het is gewoon zo, en het komt goed uit als de dokter dieren moet onderzoeken. De geiten zijn vies, maar hun vacht glanst wel. Hun ogen staan goed, ze bewegen en klinken normaal.

'Smaans!' roept de dokter.

Smaans kucht, maar blijft bij de deur staan.

'Die vliegen, dat is niet goed. Je moet die wondjes behandelen, anders krijgen ze maden. Schoon stro in de ruif en de stal beter luchten. Ik zal je morgen zalf laten brengen.'

'Wat kost dat?'

'Het kost je meer als je het niet doet.'

'En die?' Smaans wijst naar de drachtige geiten.

'Niks aan de hand. Die twee nog een dag of vier, die andere een week.'

Smaans knikt, dat dacht hij zelf ook. Hij loopt met de dokter mee. Door de manier waarop hij naar me kijkt, begrijp ik dat hij me er niet bij wil hebben en daarom loop ik alvast door naar de fiets. Smaans en de dokter smoezen wat, Smaans gaat naar binnen en komt even later terug met een geitenkaasje. De dokter bedankt hem en stopt de kaas in zijn tas. Bij zijn fiets gekomen hangt hij de tas aan het stuur en loopt met me mee tot aan de weg.

'Als hij nou eens zou doen wat ik zeg, was het zo in orde. Maar ja, Smaans. Kan je morgen die zalf bij hem langsbrengen?'

'Moet hij betalen of...'

De dokter klopt op zijn tas. 'Dat is al geregeld. Bedankt hoor jongen.' De dokter stapt op zijn fiets en rijdt slingerend weg.

Robin Hood

Joris wil een verhaaltje en omdat ik na vanmorgen op het schoolplein niet meer zo'n zin heb om er een te bedenken, kijk ik tussen de boeken van mijn vader. Er zit niet veel tussen wat ik aan Joris kan voorlezen. Maar tussen de goochelboeken, de boeken voor volwassenen en de handleidingen zitten ook verhalen die onze vader mij ooit voorgelezen heeft. *Olivier Twist*, *Alleen op de wereld* en *De Reis om de wereld in tachtig dagen*. Ik heb *Robinson Crusoe* al in mijn hand maar dan zie ik *De avonturen van Robin Hood* en meteen weet ik wat ik op het schoolplein tegen Fransje had moeten zeggen. Je hebt diefstal en rechtvaardige diefstal, en dat is heel wat anders.

'Miel? Heb je al wat?' roept Joris vanuit zijn bed.

'Ik kom.'

'Heb je geen boek?' vraagt Joris als ik met lege handen onze kamer in kom.

'Nee, maar wel een verhaal. Het gaat over ridders en struikrovers, een jonkvrouw en een koning.'

Joris kruipt tevreden dieper onder de deken. 'Begin maar.'

Joris slaapt. In mijn bed lees ik de laatste brief van mijn vader nog een keer. Ik wou dat hij hier was, zodat ik kon laten zien hoe goed ik geoefend heb met de kaarten. Ik wil hem het opstel laten lezen dat ik voor school geschreven heb en de tekeningen laten zien en mijn sommenschrift. Ik weet wat hij gaat zeggen, maar toch is het fijn om te horen, want alle andere volwassenen behandelen me alsof ik geen kind meer ben. Geen kind maar ook geen volwassene, en altijd de oudste broer.

Iets stoms

Fransje is zelfs na het weekeinde nog niet helemaal overtuigd, want Robin Hood stal alleen van sléchte rijken. Hoe wist mijn vader dat Luitink slecht was? Ik wéét het niet, maar ik dénk dat mijn vader dat geld nooit gepakt zou hebben als Luitink niet zo'n volle portefeuille had gehad. Hij zou het geld zeker teruggegeven hebben als die man een gewone vrijwilliger was geweest en niet eentje die leuk wilde doen met een nagelschaartje. Trouwens, Robin Hood vroeg ook niet aan al die rijken die hij overviel hoe ze hun geld verdiend hadden, hij wist gewoon of ze fout waren. Instinct heet dat, en mijn vader heeft dat ook. Fransje zal wel bijdraaien. Hij houdt evenveel van verhalen als Joris.

Na school ga ik eerst langs de slager. Als ik daarna onze straat in loop, zie ik de auto van Martens voor onze deur staan. Ik herken de auto, wat niet zo moeilijk is, want in ons dorp hebben maar drie mensen een auto. Ik ga achterom en leg het vlees op het aanrecht. Oma is niet in de keuken en van beneden klinken stemmen: Martens en opa. Ze stoppen met praten als ik de trap af kom. Martens grijnslacht naar me en opa kijkt verstoord. Oma is ook in de werkplaats en stuurt me weg.

'Wacht maar even boven, ik kom eraan.'

Er ís iets en ik mag het niet weten, anders zouden ze gewoon doorpraten en niet wachten tot ik boven ben. Oma komt achter me aan en doet de keukendeur achter zich dicht.

'Is er wat, oma?'

Oma kijkt me aan. Misschien wil ze wel wat zeggen, maar ze houdt haar dunne lippen op elkaar geperst.

'Is het iets met papa?'

Ze verraadt zichzelf door een extra knipper met haar ogen, doordat ze haar lippen nog iets strakker op elkaar perst. Ze haalt adem om iets te zeggen, maar bedenkt zich.

'Is het iets ergs? Een ongeluk?'

'Nee, geen ongeluk,' zegt oma.

'Maar wel iets ergs...?'

'Hè, jongen. Hou op met vragen.' Ze draait zich om naar het aanrecht en pakt het vlees dat ik daar neergelegd heb. 'Moet je niet naar de dokter?'

Naar de dokter en naar Smaans, ik was het bijna vergeten.

'Dan kan je meteen Joris ophalen bij Spulders.'

'Vertelt u me straks dan wat er aan de hand is?' Het lijkt me een goede ruil.

Oma kijkt niet om. Ze zucht en mompelt: 'Ik zal het er met opa over hebben.'

Magda, de huishoudster van dokter Roodhart, doet open. Omdat ze voor ze opendoet altijd eerst door het kleine ruitje in de deur kijkt, weet ze dat ik het ben. Aan de toon waarop ze me begroet kan ik horen dat de dokter er niet is. Ze mag me niet en daarom doe ik normaal altijd erg mijn best voor haar. Vandaag niet. Geen goocheltruc, geen grapje, zelfs geen glimlach voor de heks. Ik heb andere dingen aan mijn hoofd.

'Ja?'

'Ik kom zalf halen voor Smaans.'

'Daar weet ik niets van.'

'De dokter heeft het klaargelegd.'

'Ik ga niet voor je zoeken, hoor. Kijk zelf maar.'

De behandelkamer is slordig als altijd, je zou een kalf kunnen kwijtraken tussen de stapels boeken, de dozen en de papieren, maar de zalf ligt op het dienblad. Er ligt een briefje bij met aanwijzingen voor Smaans en een handje fruittoffees. Magda staat me bij de buitendeur op te wachten. Ze wil me kwijt, het liefst zo snel mogelijk. Als de dokter er niet is gaat ze in de voorkamer in zijn grote stoel zitten en rookt ze zijn sigaretten, ik heb het zelf gezien. We knikken naar elkaar in het voorbijgaan en ik voel dat ze me nakijkt tot ik veilig door het tuinhekje ben.

Nadat ik bij Smaans de zalf gebracht heb, ga ik naar Spulders om Joris op te halen. Joris zit op de hooizolder en ik moet hem omkopen met fruittoffees voor hij naar beneden komt, en ook onderweg moet ik hem toffees blijven voeren zodat hij zonder verder zeuren meeloopt.

Thuis is oma boos dat ik Joris zo vlak voor het eten snoepjes gegeven heb. Gelukkig is opa al naar biljarten. Tijdens het eten praten we niet over vanmiddag, ik denk niet dat Joris merkt dat er wat is. Hij schuift zijn eten wat heen en weer op zijn bord, neemt muizenhapjes van het vlees en peutert dan met overdreven gebaren de draadjes tussen zijn tanden vandaan. Als oma hem vraagt wat er is en hij zegt dat hij geen trek heeft, krijg ik daar de schuld van. Na het eten is Joris eindeloos bezig met wassen en plassen en tandenpoetsen. Hij is boos omdat ik geen verhaaltje wil vertellen. Even probeert hij het nog, maar ik denk dat hij ziet dat zeuren vandaag geen zin heeft.

Oma zit in de kamer te breien. Ik ga in opa's stoel zitten en hoop dat ze uit zichzelf wat gaat zeggen. De kachel ruist, de breipennen tikken en oma perst haar lippen op elkaar.

‘Heeft u het nog aan opa gevraagd?’

Ze kijkt op, maar haar handen blijven doorbreien. ‘Je vader komt voorlopig niet thuis.’

‘Niet deze vrijdag?’

‘Nee.’

‘Wanneer dan wel?’

Oma zucht en het tikken van de pennen stopt. ‘Dat weet ik niet.’

‘Waarom komt hij niet?’

Ze schudt haar hoofd, doet haar mond open om iets te zeggen maar bedenkt zich.

‘Oma?’

‘Je moet niet zoveel vragen.’

Ik probeer wakker te blijven tot opa thuiskomt, maar na een paar bladzijden in het goochelboek van Oscar Schneemann val ik in slaap. Later word ik wakker van de stem van opa in de keuken. Als hij gebiljart heeft praat hij altijd al harder, maar deze keer klinkt hij ook nog boos. Oma probeert te sussen. Ik hoor ze maar ik versta het niet, en daarom sta ik op en sluip ik naar de deur. Ik versta het nog steeds niet, het blijven scherven van een gesprek waarvan ik alleen begrijp dat het over mijn vader gaat. Ik ga de trap af. Een paar treden nog... Dan schuift opa zijn stoel achteruit en staat op. Hij komt mijn kant op. Snel draai ik me om en probeer stil naar boven te komen, maar ik glij uit en stommel een tree naar beneden. Met een ruk gaat de keukendeur open.

‘Wat doe je uit je bed?’ sist opa.

Ik draai me om, begin aan een smoes, maar slik die in. ‘Ik hoorde jullie over papa praten,’ zeg ik in plaats daarvan. Ik zeg het zachtjes om Joris niet wakker maken. ‘Ik wil weten... ik moet weten wat er is.'

Opa snuift als een stier. Een kind dat 'moeten' zegt kan een klets krijgen, maar oma pakt zijn arm en fluistert wat in zijn oor. Hij knikt langzaam en gebaart dan dat ik beneden moet komen. Hij gaat aan de keukentafel zitten en oma pakt de stoel naast hem. Zo blijven alleen de stoelen tegenover ze over. Hij legt zijn ruwe handen voor zich op tafel en buigt naar voren.

'Je vader is opgepakt door de politie.'

Oma knikt, het is echt zo.

'Hij heeft iets stoms gedaan en nu zitten we allemaal met de gebakken peren.'

Gebakken peren. Oma knikt nog steeds. Opa heeft lijm onder zijn duimnagel en zijn adem ruikt naar bier.

'Begrijp je wat ik zeg?' vraagt opa. Ik knik, maar ik weet niet precies waarvoor.

'Wanneer komt hij nou dan thuis?'

Opa gaat rechtop zitten en kijkt oma aan. 'Hij begrijpt het niet. Luister Camiel. Je vader heeft iets stoms gedaan. Hij zit in het Huis van Bewaking...'

'Bewaring,' verbetert oma.

'Huis van Bewaring, dat zeg ik. Hij zit in het Huis van Bewaring in Waesdrecht tot hij bij de rechter moet komen. Misschien moet hij de gevangenis in.'

'Wat heeft hij gedaan?'

Opa kucht. 'Dat weet ik niet. Iets met... Wat was het, mam?'

'Verduistering.' Oma zegt het alsof het uitspreken van het woord al strafbaar is. 'Hij heeft iets meegenomen dat niet van hem was. Iets verwisseld.'

Nu bespringen de vragen me van alle kanten. Wat heeft hij meegenomen, van wie heeft hij het gepakt en hoe wist de rechter dat? En waar is die rechter en waarom komt hij dan niet over zeven dagen thuis? Ik denk aan het geld van de man uit de brief. 'Is het in het theater gebeurd?'

Opa haalt zijn neus op. 'Nee, niet in het theater. In een postzegelhandel. Het maakt ook niet uit. Hij komt voorlopig niet thuis.'

Oma pakt mijn hand. 'Camiel? Je moet het voor je houden, want ik wil niet dat Joris het hoort. Je weet dat hij zijn mond niet kan houden, dus als hij het weet, dan weet het hele dorp het.'

'Wat moet ik zeggen dan, dat papa niet thuiskomt?'

Opa schuift zijn stoel achteruit. 'Je bent goed genoeg in verhaaltjes. Bedenk maar wat.'

Oma klopt nog even op mijn hand, dan komt ze met een zucht overeind. Ze ziet er ineens oud uit. Ik blijf alleen achter aan de keukentafel.

Mijn vader, opgepakt door de politie, ik kan het niet geloven. 'Iets stoms' noemt opa het, maar het is veel erger dan dat. 'Verduistering' klinkt zwart als de binnenkant van de kachel, slecht als een zonde. Bijna even erg als diefstal, of is dat hetzelfde? En wat betekent dat voor mij, voor ons? Ik was Camiel van de goochelaar, de zoon van de artiest en nu, wat ben ik nu... als papa de gevangenis in moet? Af en toe val ik even in slaap, maar dan schrik ik weer wakker en gaan mijn warrige gedachten verder waar ik gebleven was. Buiten begint het alweer lichter te worden, een haan kraait in de verte, een andere antwoordt van nog verder weg. Wat ga ik Joris zeggen? 'Bedenk maar wat,' zei opa en ik denk aan de brieven die papa me gestuurd heeft. Hoeveel is daarvan waar? Boven het hoofdeinde van mijn bed hangen de opdrachten en trucs die vader me gestuurd heeft. Het liefst zou ik ze van de muur halen en weggooien, maar zelfs dat kan niet zonder dat Joris er vragen over gaat stellen.

Wenen

Ik mag van oma niet thuisblijven, ook al heb ik bijna niet geslapen en ben ik misselijk van een stampende pijn in mijn hoofd. De meester is boos op me omdat ik slecht oplet en zit te gapen, en ik grauw naar Louis, die nog wat wil weten over de bankbiljetten en de buikspreker. Na school help ik opa in de werkplaats. Door de dikke leer-met-lijmlucht moet ik nu bijna overgeven en daarom maak ik het werk snel af. Ik neem de mand met schoenen en ga naar buiten. Het is koud en het waait. Precies wat ik nodig heb.

'Miel! Wacht op mij!'

Joris komt achter me aan rennen. Onder het lopen maakt hij de knopen van zijn jas dicht, scheef natuurlijk.

'Je kan beter thuisblijven.'

'Nee, ik loop mee. Dat is gezellig.'

'Ik ben niet gezellig. Ik heb hoofdpijn.'

'Ik zal niks zeggen. Zal ik je helpen dragen?'

'Hoeft niet.'

We brengen samen de schoenen rond. Joris zegt zowaar echt bijna niets en omdat iedereen hem zo'n grappig ventje vindt krijgen we koekjes en een appel. Dan is de mand leeg en kunnen we naar huis, maar ik wil alleen zijn.

'Joris, ik ga nog even lopen.'

Joris heeft het wel gehad met lopen, maar toch twijfelt hij.

'Ga maar, dan kan ik alvast over het verhaal van vanavond nadenken,' zeg ik. Dat overtuigt hem. Ik geef hem de mand, beloof voor het eten thuis te zijn. Bij de grensweg sla ik af en loop in de richting van het bos. Nog voor de bosrand neem ik het pad door het veld dat de helling volgt tot over de grens. Ik denk aan mijn vader in de stad, in de gevangenis, en aan Robin Hood, en ik hoop dat mijn vader net als Robin ook een reden heeft. Mijn vader zou nooit zomaar iets verkeerds doen. Ik zal hem vanavond een brief sturen om te vragen wat er echt gebeurd is. Of ik ga bij hem langs in dat huis in Waesdrecht.

Als ik bij mijn boom aankom, kan ik het niet laten erin te klimmen. Achter de stam hangt een touw waarmee je naar de onderste tak kan klimmen. Mijn boom noem ik hem, ook al is de stam volgekerfd met namen van anderen. *Leon R '04*, dat is mijn vader. *Roodhart 1887* is de dokter. Ik klim langs de knopen in het touw omhoog en werk me op de tak. Vandaar gaat het gemakkelijker. Ik kies een plek tegen de stam vanwaar ik uit kan kijken op het dorp. De bladeren zijn nog maar net uit de knop, de boom is nog doorzichtig en ik kan het hele dorp zien: een eiland met in het midden de kerk, eromheen huizen en daar weer omheen de boerderijen en daarbuiten de velden. Waesdrecht en mijn vader zijn heel ver weg.

Joris ligt in zijn bed, ik zit op de rand en vertel verder over Robin Hood alsof er in de tussentijd niets gebeurd is.

'En toen kwam Robin bij een riviertje en over dat riviertje lag een boomstam. Robin stapte op de stam om de rivier over te steken, maar van de andere kant kwam een grote man. Omdat Robin eerder was, riep hij dat die man terug moest gaan, maar die man deed dat niet. De man had een stok en Robin pakte er ook een en toen begonnen ze te vechten, op de boomstam, midden boven de rivier. En ze vochten en vochten. Robin was goed, maar die andere man nog beter. Robin was natuurlijk meer een pijl-en-boog schutter. En de man sloeg Robin en die viel van de boomstam in het water. De man hielp Robin uit het water want het was geen echt vechten geweest maar meer een soort stoeien. Ze sloten vrede en ze werden vrienden en die man heette Kleine Jan, ook al was hij helemaal niet klein.'

'Waarom noemden ze hem dan Kleine Jan?'

'Dat is een bijnaam. Net zoals ze onze melkboer de Kale noemen.'

'Die ís kaal.'

'Ja... Morgen verder?'

Joris knikt. 'Miel?'

'Ja?'

'Waarom komt papa vrijdag niet?'

'Hoe weet jij dat?'

'Ik hoorde opa en oma. Wist jij het al?'

Hij vraagt *waarom*, dus hij weet het niet. 'Ja, ik had het al gehoord,' zeg ik. Het klinkt bijna normaal. 'Ik denk dat die tournee toch doorgaat. Papa wilde eigenlijk afzeggen omdat hij dan heel lang weg is, maar het is een grote eer. Alleen de allerbeste artiesten mogen mee. Naar Parijs en Wenen en Constantinopel. Hij wilde afzeggen omdat hij ons dan zo lang niet ziet, maar iedereen zei dat hij het moest doen. Omdat het zo'n grote eer is.'

'O. Hoe lang blijft hij weg dan?'

'Lang. Ik weet niet. Heel lang. Maar ik denk dat hij wel schrijft.'

'Kunnen we niet mee?'

'We moeten toch naar school. En we moeten opa en oma helpen.'

'Ik ga liever naar Parijs.'

'Ja, maar nu moet je slapen.'

Ik kleed me uit en trek mijn pyjama aan. Ik ging ook liever naar Parijs en ik zou ook liever niet liegen, want liegen is bijna even erg als stelen. Ik doe het alleen om Joris niet ongelukkig te maken, maar straks, als papa terug is, moet hij het goedmaken.

In de keuken poets ik mijn tanden, ik ga plassen en juist wanneer ik weer naar boven wil gaan roept opa me naar beneden. Het is halfnegen en nog is hij bezig. Hij zit op zijn kruk en is schoenen aan het verzolen.

'Opa?'

'Luister jongen. Je vader is er niet, ik weet niet hoe lang niet.' Hij haalt een spijkertje uit zijn mondhoek en slaat hem met drie klappen in de zool. 'Je ziet wat er van dat artiestengedoe komt. Als je vader gewoon een vak had geleerd dan was dit nooit niet gebeurd.'

Om de paar woorden is hij even stil om een nieuwe nagel te pakken en met snelle tikken in de zool te jagen. 'Denk maar niet dat hij de komende tijd zijn verplichtingen gaat nakomen. Maar jullie leven ook niet van de lucht. Jij en je broertje.'

Ik weet niet waar hij heen wil, maar ik voel dat er iets gaat komen, iets onverwachts en iets onplezierigs.

'Als ik de rekeningen betaal, dan bepaal ik ook de regels. Ik wil dat je hier komt werken.'

'Dat doe ik toch al?'

'Ik ga je opleiden tot een echte vakman.'

Het geluid van de hamer op de nagels en de zool, mijn hart dat steeds sneller gaat kloppen.

'Je moet na de zomer maar beginnen.'

Van schrik kan ik even niets zeggen maar dan, als ik drie keer geslikt heb, piep ik met een geknepen stemmetje: 'En school dan? Dat vindt papa nooit...'

Opa kijkt langzaam op, en als ik zijn blik zie, maak ik mijn zin niet af. Hij haalt een spijkertje uit zijn mond, gaat verder met zijn werk en laat mij rillend in mijn pyjama staan.

Goede voornemens

Dat mijn vader opgepakt was door de politie leek me al erg genoeg, maar het is nog veel erger. Mijn meester had de brief voor de middelbare school al geschreven, voor de zomer zou ik me aanmelden, maar als papa voor die tijd niet terugkomt, als opa het voor het zeggen heeft... In een flits zie ik mezelf in de kelder, met een leren schort voor. De hele dag in die stinklucht, half onder de grond. Nooit! Ik word geen schoenmaker. IK WORD GEEN SCHOENMAKER! Door het te zeggen lijkt mijn besluit een voorspelling. Ik ben bijna weer rustig. Hoeveel tijd heb ik, wat moet ik doen en in welke volgorde? Drie maanden heb ik nog om me aan te melden voor de hbs. Hoeveel straf krijg je voor verduistering? Dat papa niet begrijpt wat hij mij aandoet! Ik ben zo boos op hem, ik moet hem spreken. Ik stap uit mijn bed, pak mijn spaarvarken en rammel het kleingeld eruit. Erg veel is het niet, ik weet zelfs niet of het genoeg is voor de bus naar Waesdrecht.

De volgende dag regel ik dat ik naar de stad kan. In een klas met allemaal boerenzonen begrijpt de meester het als je een dag thuis moet blijven om te helpen, zelfs als je opa schoenmaker is. Ik zeg tegen Joris dat ik stiekem dokter Roodhart ga helpen en beloof hem toffees als hij zijn mond erover houdt. Een handjevol zal niet genoeg zijn. 's Avonds voor het slapengaan pak ik mijn tas in. Een stuk brood, een paar plakken worst en een appel en de oude veldfles met water. In mijn bed probeer ik te bedenken hoe morgen zal zijn, maar ik kan me niet voorstellen hoe een

Huis van Bewaring eruitziet. Wat gaat mijn vader zeggen, als ik hem al kan vinden, als ik hem al kan spreken? Is er een reden waarom hij het gedaan heeft, en is het een goede? Vind ík de reden goed genoeg? Ik ben boos, ik heb hoop, ik ben heel bang.

Waesdrecht

Na het ontbijt ga ik samen met Joris de deur uit, maar op de hoek sla ik af. Ik ga niet naar de bushalte op het Kerkplein. De kans is te groot dat ik iemand tegenkom die me vraagt waarom ik niet op school ben, of die de meester of opa vertelt dat hij me gezien heeft. Daarom loop ik het eerste stuk. Het is drie kilometer tot de pont en daarvandaan nog een kilometer of vijf naar Reurne. Daar neem ik dan de bus naar de stad. Tot nu toe gaat alles volgens plan.

Het is koud, maar de zon schijnt. Als ik om een andere reden naar de stad zou gaan, zou ik nu fluiten. Om half negen ben ik bij de rivier. Er staan twee paardenkarren en een handkar bij het talud, de pont is nog aan de overkant. De wagenmenners staan te praten en te roken, de paarden wachten met hangend hoofd. Als ik kom aanlopen kijken de mannen even op en groeten met een knikje. Over de dijk komt een vrachtauto aanrijden met houten vaten in de laadbak. Hij stopt naast me en de bestuurder leunt naar buiten.

'Waar moet je heen?'

Het is Cas, de oudste broer van Louis.

'Naar Waesdrecht.'

'Meerijden?'

Snel loop ik om de wagen heen en klim erin. Ik heb nog nooit in een vrachtwagen gezeten. Cas rookt sigaren en met de biervaten in de laadbak ruikt de vrachtwagen als de kroeg op het Kerkplein. We wachten op de pont, die langzaam dichterbij komt, op de karren en mensen en fietsen die ervanaf moeten voor wij erop kunnen. De veerman is niet erg blij met de vrachtauto en hij laat Cas veel te veel betalen, ook al rijdt die de wagen heel voorzichtig de pont op.

'Moet je niet naar school?'

'Eigenlijk wel.'

Cas grijnst. 'Wat ga je doen in de stad?'

'Ik ga bij mijn vader langs. Hij gaat weg en ik wilde hem graag nog zien.'

Cas knikt en vraagt gelukkig niet verder.

'Cas? Zou u het tegen niemand willen zeggen, ook niet tegen Louis? Anders hoort de meester het, of mijn opa.'

Cas kijkt me aan en knipoogt. 'Van mij hoort niemand niks.'

Langzaam komt de andere oever dichterbij. We gaan als laatste van de pont, maar al snel hebben we iedereen ingehaald. Ik kijk naar de rij populieren langs de weg. Het is een soort publiek, een erehaag voor de vrachtwagen die voorbij racet. Bijna vijfenveertig kilometer per uur! Buiten is een film. Een paard op het jaagpad langs de rivier die een schuit sleept, een jongen ernaast. Karren en fietsen, een bus van de andere kant en heel af en toe een andere auto. Nog één keer moeten we tol betalen, maar dan zijn we aan de rand van Waesdrecht aangekomen. Cas weet de weg, is zelfs niet bang in de drukte. Af en toe knijpt hij in de toeter of steekt hij een hand naar buiten om te zwaaien, te dreigen of te bedanken. Dan zet hij de vrachtwagen stil langs de kant van de weg. We staan op een plein en hij wijst naar de overkant, waar trams staan opgesteld als de schoenen op de pronkbalie van opa.

Ik weet niet waar je wezen moet, maar vanhier loop je zo naar het centrum. Of anders neem je een tram. Hoe ga je terug?'

'Met de bus, denk ik.'

'Ik moet nog verder maar ik kom hier weer langs. Om een uur of vier. Kan je meerijden, kijk maar. Als je er bent kan je mee.'

Ik stap uit en zwaai als Cas wegrijdt. Dan ben ik alleen. Half tien wijst de klok op het gebouw achter de trams.

Mensen die zeggen dat een stad gewoon een heel groot dorp is, komen niet uit een dorp. Want voor mij is een stad onbegrijpelijk en angstaanjagend. Huizen die zonder tussenruimte op elkaar geperst zijn. Nergens bomen, alle grond verborgen onder klinkers en stenen maar vooral: de stank, het lawaai, de drukte. Mensen, karren, trams en auto's, allemaal door elkaar, allemaal tegelijk. En in die drukte bedenk ik dat ik er niet aan gedacht heb dat er misschien wel twee Huizen van Bewaring zijn, of tien, net zoals er meerdere kerken zijn, en dat alleen iemand uit een klein dorp daar niet van tevoren over nadenkt. Maar zelfs als er maar één is, moet ik het nog wel zien te vinden.

'Mevrouw? Weet u misschien...?'

De vrouw kijkt me vuil aan. Ze klemt haar tas onder haar arm en loopt snel door.

'Meneer?'

De man schudt nee, kijkt niet eens opzij.

'Mevrouw, ik ben verdwaald. Kunt u mij helpen alstublieft?' Dat helpt.

'Waar moet je heen?'

'Naar het Huis van Bewaring.'

Ze schrikt en loopt zomaar zonder iets te zeggen weg. De agent die ik het vraag kijkt me streng aan, alsof ik er zelf thuishoor en hij erover denkt om me meteen maar aan te houden.

'Lopend of met de tram?'

‘Lopend, denk ik.’

Hij pakt een schrijfboekje uit zijn borstzak en tekent een simpel kaartje. Rechtdoor, rechts en daarna links met op de kruispunten de naam van de straat. Het is niet moeilijk, wel ver. Meer dan een halfuur lopen en ik ben bang om de kruispunten te missen, want tussen de kruispunten zijn een heleboel andere die niet op het kaartje staan. Bij ons is er altijd de kerktoren die je vanuit het hele dorp kan zien, maar hier zijn de huizen te hoog en lijkt het alsof je door een tunnel loopt, en als je niet weet waar je bent voel je je steeds verdwaald. Ik denk dat ik hier ’s nachts de Poolster niet eens zou kunnen vinden. Gelukkig is het kaartje goed getekend.

Paleis van Bewaring zou een betere naam zijn, of HUIS VAN BEWARING, want het is groot en donker met een poort als een staldeur en kleine raampjes met tralies ervoor. Naast de poort is een gewone deur en daardoor kan ik naar binnen. Achter een balie zitten twee agenten die me streng aankijken.

‘Goedemorgen.’

Ze grommen wat terug.

‘Mijn vader is hier. Mag ik met hem praten?’

De linker agent zucht en schuift een klembord met een lijst erop naar voren. ‘Invullen, tas inleveren. Bezoekuur van kwart over elf tot half twaalf.’

Bij ons duurt een uur víer kwartier, denk ik, maar het lijkt me beter dat niet te zeggen. Ik vul mijn naam in en dat ik de zoon ben van Leon Roossen. De rechter agent komt overeind en pakt mijn tas aan. Hij wijst naar een deur. Daar wachten.

Kwart over elf, dat is nog meer dan een uur en er is niets te doen in de wachtruimte. De ramen zitten zo hoog in de muur dat je er niet door naar buiten zou kunnen kijken als ze al doorzichtig waren geweest. Ik wacht en wacht en pas na een hele tijd komt er nog iemand. De vrouw gaat schuin tegenover me zitten. Steeds als ik opkijk kruisen onze blikken elkaar heel even voor ze snel weer wegkijkt. Praten doen we niet. Nog later komen er meer bezoekers. Een moeder met een klein meisje, een vrouw met hele chique kleren, een oude man met een wandelstok. Sommige bezoekers kennen elkaar, maar ook die zeggen niet veel.

Dan gaat de deur open. De vaste bezoekers komen overeind en ik loop achter ze aan de deur door, door een gang. We moeten bij een hek wachten tot er een ander hek achter ons gesloten is. Pas dan mogen we verder. Nog een deur en nog een hek later gaan we een grote kamer in. Het lijkt een beetje op een schoollokaal. Er staan tafeltjes en stoelen en de mensen die vaker geweest zijn kiezen een plek. Ik doe ze maar na en kies een tafeltje. Ver weg klinkt een bel en de deur gaat open. Eerst komen er drie agenten naar binnen. Ze gaan achterin bij de muur staan. Dan komen er nog twee agenten met daarachter een groepje mannen. Ze hebben handboeien om. Helemaal als laatste komt mijn vader de kamer binnenlopen. Ik schrik als ik hem zie. Omdat hij er moe en oud uitziet, maar ook omdat hij er met de handboeien om helemaal niet zo anders uitziet dan de andere mannen. Mijn vader heeft me gezien. Hij kijkt eerst verbaasd en dan blij, maar als hij tegenover me zit kijkt hij vooral verdrietig. Zijn handen legt hij voor zich op tafel, iets uit elkaar zodat het kettinkje tussen zijn polsen bijna strakgetrokken wordt.

'Hallo Camiel.'

'Hallo pap.'

'Wat een verrassing.'

Dat zou ik ook kunnen zeggen, maar ik vraag hoe het gaat en hij knikt. Het gaat.

'Ik ben meegereden met Cas uit het dorp. Met de vrachtauto.' Ik zeg het maar voor hij het gaat vragen. 'Ik wilde u zo graag zien...'

Vader slikt.

'Heeft u het echt gedaan?'

Vader kijkt om zich heen. Een agent loopt, net als de schoolmeester bij een proefwerk, door de ruimte, maar hij is ver genoeg om iets te zeggen zonder dat hij het kan horen. Vader haalt kort zijn schouders op, een klein stukje, maar het is genoeg: hij heeft het gedaan. 'Je had beter thuis kunnen blijven.'

'Als ú naar huis was gekomen... Maar waarom? U bent goochelaar!'

'Jongeman. Zachter praten,' bromt de agent. Ik heb hem niet horen aankomen.

'Waarom hebt u het gedaan?' fluister ik als de agent weer verder gelopen is.

'Luister Camiel, ik kan het je niet uitleggen. Ga naar huis en doe wat opa en oma tegen je zeggen. En help Joris. Ik weet dat je dat doet.'

'Ik hoopte dat u zou zeggen dat het een vergissing was, of dat u een goede reden had. Daarom ben ik gekomen.'

'Roossen?' Een agent bij de deur kijkt rond en vader steekt een hand omhoog. 'Nog een bezoeker voor je,' zegt de agent.

Achter de agent komt een oude man met een sierlijke snor de kamer binnen. Hij kijkt rond tot hij mijn vader gevonden heeft, dan komt hij naar ons tafeltje. Hij loopt alsof hij het gewend is dat mensen naar hem kijken.

'Hallo Henri,' zegt mijn vader.

'Leon, hoe is het? Dit is je oudste zoon, neem ik aan?'

'Camiel, dit is Henri, de directeur van het Mercurius.'

Ik begroet meneer Henri en hij gaat naast me zitten.

'Ik ben wat verlaat, excuses daarvoor. Is er al een datum voor de zitting?'

Ze bespreken praktische dingen. Ik probeer te volgen waar het over gaat (het opslaan van de goochelspullen van mijn vader en het zoeken naar een advocaat die weinig kost) maar ik kan mijn gedachten er niet bij houden. Ik kijk naar de handen van mijn vader met de korte ketting ertussen en zeg bijna niets meer tot de bel gaat en een agent de deur opendoet. Mijn vader komt overeind. Met zijn twee handen pakt hij mijn hand. Nu het bezoekuur afgelopen is heeft hij opeens heel veel te zeggen. Dat hij brieven zal schrijven en dat ik voorzichtig moet zijn. Of opa en oma eigenlijk wel weten dat ik hier ben en of ik goed wil oppassen, ook op Joris. Dat alles vast wel goed komt en dat het hem spijt. Wat hem spijt kom ik niet te weten, want een agent pakt mijn vader bij een arm en leidt hem naar buiten. Meneer Henri legt een hand op mijn schouder.

'Kom,' zegt hij. Ik ben blij dat hij me meeneemt, want ik voel me verloren als een schaap alleen.

Meneer Henri

Bij de balie krijgen we onze spullen terug. Ik mijn tas, meneer Henri zijn wandelstok en zijn hoed. Hij gaat me voor de deur uit. Buiten halen we beiden diep adem. We glimlachen als we het van elkaar zien.

'Hoe ga je terug?'

'Ik kan meerijden met iemand. Hij komt langs bij het plein met de trams.'

'Hoe laat?'

'Ongeveer om vier uur.'

Meneer Henri haalt zijn zakhorloge tevoorschijn. 'Loop dan maar even mee.'

We lopen samen door de stad. Omdat ik niet op de weg hoef te letten, kan ik naar de huizen kijken en naar de mensen en de overweldigende drukte, en luisteren naar het krijsende stadslawaai. Maar anders dan vanmorgen is het nu niet bedreigend. Nu loopt meneer Henri naast me en ben ik een toeschouwer, een toerist. Meneer Henri zwaait met zijn stok, tikt af en toe met een vinger tegen de rand van zijn hoed als hij een bekende ziet. En dan staan we voor twee hoge, verveloze deuren en een bordje met de naam *Mercuriustheater, post op 12hs.* Geen lichtjes, geen grote borden, geen loper. Wel een glazen kastje zo groot als een laarzendoos links naast de deur met een aankondiging. De inkt is verschoten, het papier is oud en vergeeld. *Hedenavond: gevarieerde circustheatervoorstelling met een keur aan nationale en internationale artiesten.*

Is dit het? Het is niet zoals ik het me voorgesteld had. Links naast de deuren is een trapje van een paar treden. Meneer Henri gaat naar boven en doet de deur open. Ik volg hem. Binnen staan langs de muur dozen, kratten met papieren, een kledingrek met jassen, waardoor de gang zo smal is dat we even dwars moeten lopen. Aan het einde van de gang is een keuken. Meneer Henri wijst me een stoel aan de tafel, zet een ketel met water op en haalt twee min of meer schone kopjes uit de gootsteen. Hij veegt ze uit met een theedoek en zet ze op tafel. Zelf gaat hij tegenover me zitten.

'Over een halfuur komen de artiesten. Je hulp zou me goed van pas komen.'

Ik heb toch niets beters te doen en knik. Het is de eerste keer dat ik in een theater ben.

'Ik heb mijn vader nooit zien optreden.'

'Nooit?' Meneer Henri kijkt me verbaasd aan.

'Niet in een zaal zoals hier.'

'Ongelofelijk.'

'Misschien zal ik het wel nooit zien.'

De ketel begint te fluiten. Henri komt met een zucht overeind, schept thee in het zeefje en schenkt het water in de pot.

'Weet u wat mijn vader gedaan heeft?'

'Wat de aanklacht is?'

'Verduistering, dat zei mijn oma, maar wat betekent dat?'

Meneer Henri zucht. 'Suiker?'

Ik knik en hij schept een lepeltje in mijn kopje.

'Het had iets te maken met postzegels die hij voor iemand zou verkopen.'

'En toen?'

'Jongen, het fijne weet ik er niet van...'

'Postzegels verkopen?'

'Vraag het aan je vader.' Henri schenkt de thee in en even zitten we zonder iets te zeggen tegenover elkaar.

'Was mijn vader goed?'

'Ís. Jazeker, je vader is een begenadigd illusionist en daarbij heeft hij persoonlijkheid.'

'Waarom is hij dan niet beroemd?'

'Wat niet is kan nog komen. Het is nog niet te laat.'

Het zou nog niet te laat zijn, als hij niet in de gevangenis zou zitten. En als hij geen straf krijgt.

'Ik moet bekennen dat hij me teleurgesteld heeft. Iemand met zoveel talent zou daar zorgvuldiger mee om moeten gaan. Maar goed, een artiest verdient niet veel en omstandigheden... Dit is de situatie en daar moeten we het beste van maken. Laten we eerst maar een vakbekwame advocaat voor hem proberen te regelen.'

'Hoeveel tijd is er nog?'

'De datum staat nog niet vast, maar een dag of veertien lijkt mij. De advocaat moet tijd hebben om zich in te lezen. Het is jammer dat ik zelf het geld niet heb om een goede advocaat voor hem in te huren, maar misschien gaat het op een andere manier.'

Halverwege de gang waardoor we binnengekomen zijn, is een deur naar de foyer van het theater. Henri loopt naar voren, doet de deur van het voorportaal open en haalt een van de poortdeuren van het slot. Hij gaat me voor, de zaal in. Het is de zaal die vader in zijn brieven beschreven heeft, maar niet zoals ik hem voor me zag. Met het zaallicht aan zie je de vlekken op de vloerbedekking, de verschoten gordijnen, de stoelen die te moe zijn om nog helemaal omhoog te veren. Niet mooi, maar wel magisch, en ik voel me treurig als ik eraan denk dat ik mijn vader hier niet heb zien optreden, en dat het er misschien ook nooit van zal komen.

Ik schep pinda's in zakjes (een soeplepel per zakje, niet meer!), ik zet de kopjes klaar, haal water voor thee en koffie en veeg de kleedkamers aan. Ik zet kannen water klaar voor de artiesten en bakjes voor de hondjes van Irma. En dan komen de artiesten. Irma, een oude vrouw met drie kleine witte hondjes die venijnig naar me keffen, Rudolf met zijn zingende zaag, Mila met de koffer en Gregor en Otto, twee blokkige mannen met krulsnorren die zo op elkaar lijken dat het broers zouden kunnen zijn.

Kwart over drie komt Henri me halen. Samen lopen we naar het plein met de trams. Ik had het best zelf kunnen vinden, maar Henri wil niet dat ik alleen door de stad loop. Bij het afscheid geeft hij me zijn visitekaartje zodat ik het theater terug kan vinden als Cas niet komt opdagen. Maar Cas komt wel. Hij toetert naar me als hij me ziet zitten en stopt de auto vlak voor mijn neus.

Het theater, de stad, de vrachtauto – ik heb het helemaal alleen gedaan. Zonder het Huis van Bewaring zou het een van de bijzonderste dagen van mijn leven zijn geweest. Mét het Huis van Bewaring was het ook leuk, maar wel een stuk minder.

Gelukkig praat Cas niet veel. Hij rookt sigaren en stuurt, en de motor maakt zoveel lawaai dat we elkaar alleen als we echt hard praten kunnen verstaan. Twee weken, denk ik. Veertien dagen, en als er dan geen advocaat is wordt alles anders.

'Je opa mocht het niet weten, toch?'

Cas zet de vrachtwagen stil op de hoek van het Bleekveld. Wat goed dat hij daaraan gedacht heeft! Ik spring uit de wagen en zwaai als Cas weer optrekt. Voor de zekerheid loop ik door tot de steeg zodat ik van de goede kant kom. Opa is in de werkplaats en ziet me aankomen. Hij roept van beneden als ik de keuken binnenga.

'Je bent laat.'

'Ik moest nablijven. De meester helpen.'

'Schiet maar op dan.'

'Miel? Ben jij dat?' Joris komt de trap af stommelen. 'Heb je de toffees?'

Ik wist dat ik wat vergeten was. 'Sorry.'

'Je had het beloofd! Ik heb niks gezegd.'

'Ik koop morgen...'

'Joris? Wát heb je niet gezegd?' Opa heeft nog goede oren.

Ik schud mijn hoofd en houd mijn vinger voor mijn mond.

'Niks opa,' roept Joris, en hij gaat snel naar boven.

'Wat mocht Joris niet zeggen?' vraagt opa als ik beneden kom.

Ik weet dat Joris het niet voor zich kan houden als opa ernaar blijft vragen en daarom zeg ik het zelf maar. 'Ik heb gespijbeld.'

Opa fronst zijn wenkbrauwen. 'Waar was je?'

'De dokter...'

'Waarom help je die man? Als je toch niet naar school gaat, kan je mij beter helpen.'

'Ik was naar papa.'

'In Waesdrecht?'

'Joris denkt dat ik de dokter geholpen heb.'
'Wist hij al meer?'
'Papa? Nee, ik geloof het niet. Hij zoekt een advocaat.'
Opa denkt even na en knikt dan naar de plank met schoenen voor vandaag. 'Je kan maar beter beginnen.'
Ik doe het schort om en pak de eerste schoenen van de plank.
'Camiel? Als je toch niet naar school gaat, moet je maar wat meer werk van me overnemen.'

Na het eten komt Joris naar mijn kamer voor een verhaaltje, maar daar heb ik geen zin in en uiteindelijk druipt hij af. Twee weken heeft papa om een goede advocaat te regelen. Zonder geld, want Henri lijkt ook niet veel te kunnen missen. Maar zonder goede advocaat komt hij niet vrij. Vreemd: zelfs in mijn hoofd gaat het er niet meer om of hij het gedaan heeft. Het gaat er alleen nog om of hij er straf voor gaat krijgen.

Pillen voor Heutmekers

Joris is boos omdat ik hem gisteravond geen verhaaltje wilde vertellen. Hij wil niet met me meelopen naar school en daarom ben ik vroeg. Ik ga op het stoepje bij de deur zitten en pak gedachteloos het balletje uit mijn zak. Ik wil helemaal niet meer goochelen, maar oefenen is zo gewoon geworden dat het me meer moeite zou kosten om het niet te doen, dan om het wel te doen.

Ik ben vandaag de eerste van mijn klas. Normaal is Anton altijd de eerste. Je moet wel in een echt rothuis wonen als je zó graag naar school gaat.

'Wat doe je?' vraagt Anton.

'Oefenen.'

'Waarvoor?'

'Vingervlugheid.'

'Wil je ook dief worden?'

'Hoe bedoel je?'

'Nou ja, oplichter of zo?'

Ik stop het balletje in mijn zak. 'Het is een oefening voor goochelaars. Wat bedoel je met óók?'

Anton kucht, kijkt even naar de grond. Dan kijkt hij me recht in mijn gezicht. 'Mijn vader zegt dat jouw vader een oplichter is.'

Ik kom overeind. Ook als ik sta is Anton nog een halve kop groter, maar het maakt me niet uit. 'Misschien is je vader te stom om het verschil te zien tussen een goochelaar en een oplichter.'

'Mijn vader weet heus wel wat een oplichter is.'

'Ja, omdat hij het zelf is.'

Anton is niet zo goed met woorden; hij zegt het liever met zijn vuisten. Hij haalt uit, maar raakt me maar half. Ik schop hem voluit tegen de zijkant van zijn knie. Anton zakt door zijn benen, grijpt me bij een arm en trekt me naar de grond. We vallen samen. Anton krabbelt overeind en stompt. Nu raakt hij me wel goed, op mijn schouder, op mijn jukbeen. Ik trap hem van me af en Anton valt achterover.

'Hou daar onmiddellijk mee op!' Het is de meester. Hij zet zijn fiets tegen het hek en komt naar ons toe. 'Zijn jullie helemaal gek geworden!'

Anton mompelt nog wat over 'hij begon', maar ik houd mijn mond. Er valt niets te winnen.

De strafregels vind ik niet zo erg maar het nablijven wel. Voor Anton is het geen straf, die zou het liefst hier blijven slapen, maar ik moet nog naar de dokter en daarna moet ik de schoenen nog doen. Pas als de meester al zijn werk gedaan heeft, mogen we weg.

Onderweg naar de dokter denk ik aan mijn vader en de advocaat en het geld. De dokter is rijk. Misschien wil hij me wel wat betalen voor mijn hulp.

Ik ben laat. Magda doet open. Ze snuift als ik naar binnen wil stappen.

'Voeten vegen, ik heb net de vloer gedaan.' Ze blijft kijken en stapt pas opzij als ze tevreden is.

De dokter is in de praktijkruimte. Hij kijkt over de rand van zijn bril als ik binnenkom.

'Daar ben je.'

'Ik moest nablijven op school.'

'Juist. Ik was alvast begonnen.'

Vandaag is het pillendraaidag. De gewone pillen doet de dokter zelf tussendoor, maar sommige pillen maakt hij op voorraad. Ik heb hem er zo vaak mee geholpen dat ik het bijna alleen kan. Het recept staat in het schrift, de ingrediënten heeft de dokter al klaargezet. Ik weeg ze en doe ze in de volgorde die in het schrift staat in de mortier en maal en meng ze met de stamper. De dokter weet nog niet dat mijn vader gearresteerd is en het liefst zou ik het hem ook niet vertellen, maar als ik hem om geld wil vragen is het misschien wel nodig. Terwijl ik glycerinewater in de mortier giet en van het droge poeder een soort deeg maak, vraag ik wat hij van Robin Hood vindt.

'Wat ik van een man vind die met zijn vrienden gezellig in het bos woont en willekeurige voorbijgangers berooft omdat hij niet wil werken?'

'Maar...'

'Ik weet wat ze zeggen, maar iemand die steelt, zadelt iemand anders op met zijn problemen. Het zegt genoeg over de Engelsen dat ze van zo iemand een held maken.'

Misschien is Robin Hood toch niet helemaal de goede manier om over mijn vader te beginnen. Het pillendeeg is inmiddels kneedbaar genoeg. Ik schep het op de pillenplank en daarop rol ik het tot slierten die ik met het mes in gelijke stukjes verdeel.

'Waarom vraag je dat, over die Robin Hood? Wat vind je er zelf van?'

'Ja... ik eh... ik vertelde mijn broertje een verhaal over hem. Hij is een dief...'

'Precies!'

Ik laat het daar maar bij. De stukjes pillendeeg leg ik op het onderbord van de pillenronder en met het kleine ronde deksel begin ik rondjes te draaien. Even later zijn ze klaar; zestig kogelronde pillen, zo groot als erwten. De dokter is tevreden.

'Doet u het etiket?'

'Dat is niet nodig. We gaan ze meteen brengen.'

Het paard staat al ingespannen en na de dokter klim ik in het rijtuigje. De auto is nog steeds kapot. Het paard van de dokter danst in een kalme draf, het rijtuig ratelt over de weg en de dokter ziet er tevreden uit. Ik denk dat hij het niet zo erg vindt dat de auto nog niet gemaakt is.

Heutmekers woont aan de andere kant van het dorp in een enorm huis. Hij heeft een worstfabriek in Groenhoven en daar is hij heel rijk mee geworden.

'Dokter? Wat gaan we doen?'

'We gaan pillen brengen voor zijn paard.'

'Wat mankeert het?'

'Niets.'

De dokter rijdt direct achterom. Heutmekers staat ons op te wachten. De dokter knikt naar Heutmekers. Die bromt wat en kauwt op zijn sigaar. De dokter loopt naar de box waar het paard staat.

'Prachtig paard,' zegt de dokter, en dat is het zeker. Maar het is wel een zenuwachtig paard.

'Ik heb hem niet voor het mooi gekocht. Wat ga je eraan doen?'

'Ik heb pillen. Geef er vijf een kwartier voor de race en dan zou het moeten lukken. Niet meer, want dan valt hij dood neer.'

Ik kijk geschrokken opzij; de dokter lijkt het niet te zien.

Heutmekers kijkt naar de pillen die ik gedraaid heb; hij schudt het flesje. 'We zullen zien. Kost dat?'

‘Eenentwintig.’

‘Hm,’ bromt Heutmekers. Hij steekt het flesje in zijn jaszak en haalt een dikke portefeuille uit zijn binnenzak. Hij pakt twee briefjes van tien en geeft die aan de dokter.

‘Eenentwintig.’

Heutmekers snuift, haalt een losse gulden uit zijn zak en stopt die de dokter toe.

‘Wanneer is de volgende race?’

‘Zaterdag.’

‘Ik hoor wel hoe het gelopen is.’

Heutmekers zegt niets meer. Hij steekt een hand op en loopt naar zijn huis. De dokter aait het paard even over zijn neus en dan gaan we.

‘Zijn zulke pillen niet verboden?’ vraag ik als we weer onderweg zijn.

‘Ach,’ zegt de dokter. ‘Je weet wat erin zit. Kruiden en cafeïne. Dat kan niet veel kwaad. Het is net alsof het een paar koppen koffie drinkt voor de start.’

‘U zei dat hij dood kon vallen.’

‘Ja, anders gelooft die Heutmekers niet dat het werkt. Daarom laat ik hem ook flink betalen.’

‘U hoeft toch geen pillen te geven? U zei zelf dat het paard niets mankeerde.’

De dokter kijkt me aan. ‘Als ík ze niet geef haalt hij ze ergens anders vandaan. Weet jij wat er dan in zit?’

De dokter zet me voor de deur af en ik kijk hem na. Ik begrijp hem niet. Eenentwintig gulden voor een paar waardeloze pillen, en hij noemt Robin Hood een dief?

Krentenbrood

Vanuit school kom je langs de pastorie. Vandaag staat de pastoor bij het hek vermoeid te leunen op een schoffel. Hij zweet, terwijl het echt niet warm is. Hij steekt een hand op en Joris loopt naar hem toe.

'Wat bent u aan het doen?'

'Ik was aan het werk in de tuin, maar nu houd ik even rust.'

Joris begrijpt het. 'U bent natuurlijk niet gewend om te werken.'

De pastoor trekt een wenkbrauw op en wil wat zeggen, maar ik ben hem voor.

'Zal ik u helpen?' vraag ik. Het is een kans om wat geld te verdienen.

'Nou, dat is bijzonder aardig van je.'

'Ik ga naar huis hoor,' zegt Joris, en dat doet hij.

De pastoor gaat me voor. Achter het huis is een grote groentetuin. De tuin ligt er nog kaal bij. Een deel is omgespit, uit de rest moet het onkruid nog weggehaald worden.

'Als jij nou een stukje omspit, dan ga ik verder met schoffelen.'

Al snel heb ik het net zo warm als de pastoor, maar het schiet aardig op. Ik haal met de kruiwagen compost van de hoop en schep het door de aarde heen. Een roodborstje kijkt nieuwsgierig toe. De pastoor heeft zijn zakdoek gepakt en dept er zijn voorhoofd mee. Hij gaat naar binnen en komt terug met twee glazen water.

'Dat gaat boven verwachting. Als we zo doorgaan kan ik

deze week al beginnen met de aardappels en de uien. Misschien wil je me wel vaker helpen.'

'Ik zou wel willen, maar...'

'Maar?'

'Ik heb niet zoveel tijd. Ik doe al klusjes voor opa en voor dokter Roodhart. En zij betalen me...' Het is geen hele leugen, ik heb niet gezegd dat ze me geld geven. Van opa krijg ik kost en inwoning en dokter Roodhart, nou ja...

'Ik begrijp het.'

Zou hij het echt begrijpen? Ik weet niet hoe ik hem om geld moet vragen. We gaan nog even door; ik spit de laatste strook om en dan ga ik naar huis.

'Wacht even.' De pastoor gaat naar binnen. Misschien heeft hij het toch begrepen.

De keukendeur gaat open en de pastoor komt naar buiten. Hij geeft me een krentenbrood.

'Bedankt voor je hulp. Ik zal je opa en de dokter niet zeggen dat je mij helpt zonder dat je er geld voor krijgt. Ik wil geen scheve ogen en ik wil je toch iets geven. Kan je donderdag weer komen?'

Ik probeer het krentenbrood nog te weigeren, maar hij dringt aan en dan zit ik eraan vast.

Oma is aan het koken als ik binnenkom. Opa leest aan de keukentafel de krant. Ik leg het krentenbrood op het aanrecht. Opa kijkt op uit zijn krant.

'Hoe kom je daaraan?'

'Gekregen, van de pastoor. Ik heb hem geholpen.'

'Ja, dat had Joris al verteld. Heb je zoveel tijd over dan?'

'Dat niet, maar...'

'Had je hem geen geld kunnen vragen?'

Oma schudt haar hoofd. 'Nee, dat doe je niet.'

‘Waarom niet? De pastoor heeft het breder dan wij. Ik wil ook wel eens wat anders dan bonen.’

‘Hè pap. Hou op.’

Opa moppert nog wat na, maar gaat dan weer verder in zijn krant. Ik ga naar boven. Opa heeft gelijk: ik had de pastoor om geld moeten vragen, want met krentenbrood betaal je geen advocaat.

‘Miel?’

‘Ja Joris.’

‘Papa heeft nog steeds geen brief geschreven.’

‘Ik denk dat hij het druk heeft.’

‘Het hoeft toch geen lange brief te zijn?’

‘Misschien heeft hij wel een brief geschreven maar is die lang onderweg.’

‘Uit Parijs?’

‘Ja, bijvoorbeeld.’

‘Hoe lang duurt dat dan?’

‘Lang. En uit Wenen of Constantinopel duurt het nog langer. We moeten gewoon even geduld hebben.’

‘Hoe lang is even?’

‘Zal ik je vanavond weer over Robin Hood vertellen?’

Na het eten gaan we naar boven en vertel ik Joris over Robin. Later schrijf ik een brief aan mijn vader en vertel ik hem dat Joris denkt dat hij op tournee is en of hij geen brieven wil sturen uit Waesdrecht. Een brief uit Parijs zou mooi zijn, of uit Constantinopel. Misschien kan Henri een brief aan iemand meegeven die daar naartoe gaat. Maar als dat niet lukt, is géén brief beter dan eentje uit Waesdrecht.

Een pot kersen

Vandaag ga ik de dokter vragen of hij me wil betalen. Hij heeft vaak genoeg gezegd dat ik een goede hulp ben. Het hoeft ook niet veel te zijn, maar toch ben ik zenuwachtig. Ik hoop niet dat hij boos wordt, want ik ga graag met hem mee.

De dokter staat me al op te wachten met het rijtuigje. Ik klim erin en we gaan.

'Dokter? Mag ik u wat vragen?'

'Brand maar los.'

'Bent u blij dat ik u help?'

Hij kijkt me aan, heel even verbaasd, dan glimlachend. 'Zeker. Moet je me iets bekennen?'

'Bekennen?'

'Heb je iets uitgehaald?'

'Nee, nee.'

We komen voorbij de boerderij van Custers. Hij steekt een hand naar ons op en de dokter zwaait terug.

'Ik bedoel, vindt u dat ik nuttig werk doe?'

'Je bent heel nuttig! Maar ik begrijp het. Je wilt meer verantwoordelijkheid.'

'Nou...'

Hij schrikt van een nieuwe gedachte. 'Of vind je het niet interessant meer?'

'Jawel maar...'

'Je wil er toch niet mee ophouden?'

'Dat bedoel ik niet.'

'Gelukkig!'

We rijden langs het huis van Peeters en de dokter wijst op de witte vleeskoeien die alweer buiten staan.

'Prachtige beesten, vind je niet? Ik heb geluk, wij hebben geluk. Dit is het leukste werk dat er in de wereld bestaat.' Hij geeft me een por. 'Eigenlijk is het een soort stage die je loopt!'

Ik knik, maar denk: wat moet ik met een stage voor dierenarts terwijl ik goochelaar wil worden?

'We gaan trouwens naar Geijssen. Ik ben vorige week al geweest. Ik kan niet veel meer doen.'

Geijssen, dat is de familie van Anton. 'Een geit?' vraag ik.

'De koe. De laatste.'

Anton woont in een klein huisje, een beetje achteraf. Zijn vader werkt in de worstfabriek van Heutmekers, maar veel lijkt hij niet te verdienen. Het pad naar het huis zit vol kuilen, het hek om het veldje is verrot en het rieten dak van het huis is dun en groen. Hobbelend komen we dichterbij. Ik kan me bijna niet voorstellen hoe ze hier met zes kinderen wonen.

De dokter zet het rijtuigje voor het huis stil, de deur gaat open en mevrouw Geijssen en drie kinderen komen naar buiten. Anton is er niet bij. De broertjes van Anton lopen voor ons uit naar de stal.

Al voor ik de koe zie staan, ruik ik dat ze ziek is. En dan zie ik Anton. Hij staat naast de koe en aait haar. De koe hangt tegen de muur en laat haar kop hangen, zelfs als we naar binnen gaan. Anton draait zich snel om, maar ik heb al gezien dat hij gehuild heeft. Hij haalt een mouw langs zijn wangen en loopt zonder ons aan te kijken de stal uit.

De broertjes van Anton gaan naast de dokter staan

en kijken nieuwsgierig als die de stakige koe bekijkt. Ze gaat het niet halen, dat zie je meteen. Mevrouw Geijssen staat donker in de deuropening. Ze knikt als de dokter zijn hoofd schudt. Ik aai de koe nog een laatste keer. Ze zucht alsof ze het begrijpt en ik ga naar buiten.

Anton staat verderop met zijn handen in zijn zakken; hij schopt tegen steentjes. Als het Anton niet was, zou ik medelijden met hem hebben. De dokter praat met mevrouw Geijssen. Ze gaat naar binnen en komt weer terug met twee potten ingemaakte kersen. De dokter wil ze weigeren, maar ze dringt aan en uiteindelijk neemt hij ze aan. Ik neem het paard aan de hand en draai het rijtuigje. We stappen in en we gaan. De broertjes rennen met ons mee tot de weg, alsof we voor de gezelligheid op bezoek zijn geweest.

'Ik heb het echt geprobeerd.' De dokter haalt diep adem en zucht. 'Goed. Hou jij van kersen?'

De dokter zet me voor de deur af; hij gaat naar de noodslachter om een afspraak te maken voor de koe van Anton en ik ga naar binnen. Er is niemand. Op de keukentafel liggen een boodschappenlijstje en de portemonnee. Als ik terugkom met de boodschappen stop ik de pot kersen in de tas en haal ik vijfenvijftig cent uit de portemonnee. Zo heeft de dokter me toch nog betaald.

Een halfuur kan ik denken dat het gelukt is, maar dan komt oma thuis.

'Wat is dit?'

'Dat zijn kersen, oma. Ze waren in de aanbieding.'

'Ik heb ze niet nodig. Ga ze maar terugbrengen.'

'Maar opa wilde wat anders...'

'Opa gaat niet over het eten. Terugbrengen, nu meteen.'

Ik pak mijn jas en doe mijn pet op. Met de pot in de tas ga ik de deur uit en probeer te bedenken hoe lang ik weg moet blijven. Ik loop tot de hoek van de straat, waar ik de kerkklok kan zien, wacht zeven minuten en ga terug. Het geld leg ik op de keukentafel, de pot kersen verstop ik onder mijn bed.

Martens en het bos

Gisteravond heb ik mijn speelgoed uitgezocht en in drie stapeltjes op mijn bed gelegd. Stapel één zijn de dingen die ik niet kwijt wil. Stapel twee is het speelgoed dat ik wel kwijt wil, maar dat geen geld opbrengt en stapel drie is alles wat verkocht kan worden. Met het speelgoed van stapel drie heb ik vanmorgen mijn zakken gevuld en nu, na school, probeer ik het te verkopen.

'Ik heb er bijna niet mee gespeeld.' Ik zie dat Louis de auto mooi vindt maar dat hij twijfelt. 'Hij was heel duur, maar jij bent mijn vriend.'

'Wil Joris hem dan niet hebben?'

'Die heeft zelf al spullen genoeg.' Ik steek de auto in zijn jaszak. 'Je mag hem nu meteen meenemen, dan krijg ik het geld morgen wel.'

'Ik weet het niet...'

'Eén dertig.'

'Dat is goed.' Louis kijkt tevreden.

Eén gulden dertig voor de opwind-auto, zeventig cent voor de boeken, vijftien cent voor de tol en zestien cent voor het zakje kalkedotters ('nooit mee geknikkerd, geen butsje in'). Fransje denkt nog na over de zaklamp. Twee gulden eenendertig en het kan twee zesennegentig worden. Ik heb nog blokken en een pak speelkaarten en ik kan nog een paar boeken van de zolder verkopen.

'Opheffingsuitverkoop?' vraagt Anton. Hij kijkt grijnzend rond om te zien of iedereen het gehoord heeft.

Ik reageer niet; met Anton loopt het dan vast weer op vechten uit.

'Is je vader failliet? Of je opa?'

'Hou op,' zeg ik, en ik slik een opmerking over zijn krottige huis in.

'Of anders?'

'Niks.'

Hij zoekt nog even naar een bijdehante opmerking, maar voor hij die gevonden heeft ben ik al weg.

Vanaf de kerk loop ik naar de Steenweg, het dorp uit en het bos in. Ik loop, vergeet de tijd, volg sporen van zwijnen en later van reeën, loop over smalle paden en bredere, over de zandwegen van de houthakkers. De lucht wordt donker en een koude wind komt aanrollen over de boomtoppen. Even later vallen de eerste regendruppels. In de verte klinkt gerommel. Van onweer word ik bang en dat was al zo voor de koe van Berns getroffen werd door de bliksem. Berns vond haar naast een boom en van de buitenkant zag je er bijna niets van, maar haar hoeven rookten en stonken naar verbrand haar.

Ongemerkt ben ik een heel eind van huis geraakt. Ik doe mijn kraag omhoog en ga harder lopen. Ik blijf zoveel mogelijk onder de bomen maar de voorjaarsbladeren helpen niet meer als het echt gaat regenen. Rennen dan maar. Van schrik struikel ik bijna als achter me een auto komt aanrijden. Het is de zwarte Ford van Martens. Ik stap van het pad om de auto voorbij te laten, maar Martens stopt naast me.

'Stap in.'

'Dat hoeft niet hoor.'

'Maar het mag wel. Kom, je wordt zeiknat.'

Zeiknat. Oma is een beetje bang voor Martens. Hoewel hij altijd vriendelijk is, voel je dat de chique buitenkant maar een dun laagje is. Opa heeft er minder moeite mee.

Hij maakt riemen voor Martens. Het lijken gewone broekriemen, maar ze zijn dubbel en aan de binnenkant zit een verborgen ritssluiting. Waar Martens ze voor gebruikt wil opa niet weten. Dat hij op tijd betaalt vindt hij voldoende.

De lucht is grijs als het leistenen dak van de kerk. Een bliksemflits en de donder er vlak na zijn genoeg om me van gedachten te laten veranderen. Ik stap op de treeplank en ga op de bank naast Martens zitten. De regen roffelt op het dak. Martens zet de wagen in de versnelling en trekt op. Met zijn dure wollen jas, zijn nappa handschoenen, Amerikaanse hoed en zijn dunne snorretje ziet hij eruit als een filmster, maar dan minder knap. Hij ruikt naar sigaretten.

'Jij bent ver van huis.'

'Normaal ga ik verder. Het onweer...'

'Over de grens?' Martens vraagt het achteloos. Hij blijft voor zich uit kijken, door het kleine stukje ruit dat de wisser doorzichtig maakt.

Ik haal mijn schouders op. Niet om stoer te doen, maar omdat ik eigenlijk niet precies weet waar de grens is.

Martens glimlacht. 'Hoe is het met de schoenen?'

'Goed wel.'

'En je vader?'

'Die is op tournee.'

Martens kijkt even opzij, knikt en stuurt om een diepe kuil heen. Ik moet me aan de deur vasthouden om niet van de bank te glijden. Mijn ogen dwalen door de auto, over Martens' dure jas en zijn handen in de handschoenen op het stuur. Iedereen weet dat Martens sigaretten, vloeipapier en margarine smokkelt. Op de achterbank staat een kartonnen doos.

'Bent u aan het werk?' vraag ik.

Martens kijkt me verbaasd aan; dan kijkt hij naar de doos op de achterbank. Hij begint hard te lachen. Een diepe galmende lach die de auto vult. Wat is er zo grappig? Martens schudt zijn hoofd en lacht nog een beetje na. We zijn aan het einde van het bospad gekomen en Martens draait de weg op. Hij geeft gas en schakelt op, de motor loeit en de auto springt vooruit. Ik word diep in de rugleuning gedrukt. De regen klettert tegen de ruit en omdat alleen aan Martens' kant een voorruitwisser zit, zie ik niets. Ik betwijfel of hij wél wat ziet.

'Kunt u het wel zien?'

Martens lacht. 'In dit dorp kan ik de weg vinden met mijn ogen dicht.'

Dat kan wel zijn, maar de weg vinden is iets anders dan er met een auto overheen rijden. Hij mist de eerste afslag, rijdt nu eens midden op de weg en dan weer vlak langs de rand, of zelfs erover. Waarom rijdt hij zo hard? Als we de straat in draaien scheren we rakelings langs het huis op de hoek. En dan zijn we er. Martens remt hard en ik schuif van de bank. Als ik overeind krabbel lacht Martens.

'Zo, daar zijn we.'

De motor draait stationair, de regen trommelt op het dak, maar nu we stilstaan is het een stuk rustiger.

'Dank u wel voor het meerijden.'

'Al goed. Doe de groeten aan je grootouders en je vader. Ik heb zo'n idee dat we elkaar binnenkort weer zullen zien.'

De geit van Smaans

Eigenlijk heb ik geen tijd, maar werken voor de dokter is een beetje alsof je vakantie hebt. Daarom ga ik na school toch even langs. De dokter zit achter zijn bureau te schrijven. Hij heeft een plekje op het bureaublad vrijgemaakt; eromheen liggen de papieren als bergen geruimde sneeuw.

'Dag dokter. Waar gaan we heen?'

'Camiel.' De dokter zegt het met een zucht. 'Smaans stuurde een van zijn jongens. Iets met een geit.'

'Naar Smaans dus.'

De dokter legt zijn pen neer, doet zijn bril af en wrijft in zijn ogen. 'Weet je, ik had me voorgenomen Smaans niet meer te helpen. Ik heb hem toch gewaarschuwd.' Het laatste klinkt bijna als een vraag. Hij kijkt me aan en ziet dat ik het niet met hem eens ben.

'Nou, zeg jij het maar. Moet ik hem wél helpen?'

'De geit kan er toch niks aan doen?'

'Nee, de geit kan er niks aan doen, maar als ik de geit help, help ik Smaans ook.'

'Maar als u Smaans niet helpt, helpt u de geit ook niet. Kunt u hem niet nog één kans geven?'

De dokter glimlacht. 'Jij moet advocaat worden. Vooruit dan maar, maar ik doe het voor de geit. Pak jij de tas?'

Smaans komt net naar buiten als we aankomen.

'Je bent te laat.'

De dokter gaat de stal binnen en vloekt binnensmonds.

'Smaans!' roept hij boos. In het stro ligt een dood nat

geitenlam; ernaast ligt de bloederige nageboorte. De moedergeit ligt op de grond en haar achterpoot ligt in een rare hoek opzij. Ze probeert het dode lam te likken maar kan er niet goed bij. Smaans komt binnen met een jutezak. Hij pakt het slappe lam en de nageboorte en stopt ze samen in de zak. De moedergeit mekkert zachtjes; ik krijg er een brok van in mijn keel.

'Waarom heb je me niet eerder laten komen?' vraagt de dokter.

'Ja, of ik niet genoeg gestraft ben. Lam weg, geit weg.'

'We kunnen die poot toch spalken?' zeg ik.

Smaans maakt een wegwerpgebaar. 'Niks meer waard, slachtprijs.'

De dokter fronst een wenkbrauw.

'Nee eerlijk, dat kan ik er niet bij hebben.'

De poot is gebroken, maar het lijkt mij een gewone breuk. Ik heb de dokter eerder zulke poten zien zetten. Ik weet dat het kan. De geit mekkert zachtjes en probeert overeind te komen. Snel pak ik haar vast. Ze zucht en legt haar kop in het stro. De dokter gaat met Smaans naar buiten. Ik hoor dat ze praten, maar versta niet wat ze zeggen. Zachtjes aai ik de geit tot de dokter weer binnenkomt.

'Je mag haar hebben.'

Dat had ik niet verwacht. Wat moet ik met een geit? Maar dan bedenk ik dat ze anders geslacht wordt en dat ze nog melk geeft. Misschien kan ik de melk wel verkopen aan oma of aan de buurvrouw die haar eigen kaas maakt.

'En de poot?'

'Die spalken we.'

Op de houtstapel van Smaans vind ik een oude stoelpoot. De dokter zet de gebroken poot en verbindt hem; daarna gebruikt hij de stoelpoot als spalk. Hij laat de stoelpoot een heel klein stukje uitsteken, zodat ze niet op haar hoef gaat staan. Ik help de geit (mijn geit!) overeind en ze kan bijna meteen weer een beetje lopen. Ze lijkt wel een piraat met haar houten poot. Witbaard.

De dokter ruimt op en gaat weg en ik bedenk een manier om de geit thuis te krijgen. Het is te ver voor haar om te lopen, maar de pastoor heeft een kruiwagen en die mag ik vast wel lenen. Ik doe de staldeur achter me dicht, zeg tegen Smaans dat ik zo weer terug ben en ren naar het huis van de pastoor. Ik mag de wagen lenen en binnen een kwartier ben ik terug met de kruiwagen. Mopperend helpt Smaans me de geit erin te tillen. Hij vloekt als ik hem om een stuk touw vraag, maar hij haalt het wel en ik bind de geit ermee vast. En dan gaan we. Ze mekkert klaaglijk in de hobbelende kruiwagen.

Thuis doe ik de poortdeur open en rijd naar binnen. Joris is aan het tollen maar schiet overeind als hij mij en de geit ziet.

'Opa! Camiel heeft een geit!' schreeuwt Joris.

Zelf had ik opa het goede nieuws liever wat voorzichtiger verteld, maar zo kan het ook. Joris blijft bij de kruiwagen en ik ga naar binnen.

'Wat begrijp je niet aan "nee"?'

'Ik dacht...'

Opa loopt rood aan. 'Hou op. Dat beest gaat nu weg of anders ga ik de slager halen.'

Oma legt een hand op mijn arm. 'Luister Camiel, je ziet toch zelf ook wel dat het niet gaat. Op een binnenplaatsje... Zo'n beest heeft gras nodig. Breng hem maar weer terug.'

'Boer Smaans wil haar niet omdat ze een gebroken poot

heeft. Ze heeft net een lam gekregen maar het was dood.'

'Maar de dokter dan? Die heeft een tuin.'

'Ze geeft melk en ik kan haar melken...'

Buiten probeert de geit weer uit de kruiwagen te klimmen. Ze heeft zich al bijna uit de touwen bevrijd. Joris probeert haar tegen te houden door haar nek te omklemmen, maar dat maakt de geit alleen maar onrustiger.

'Camiel! Help!' roept hij.

Opa vloekt en ik schiet naar buiten.

'Laat maar.'

Ik pak haar stevig vast en praat zachtjes tegen haar. Al snel wordt ze rustiger. Dan vraag ik Joris of hij binnen een oude lap kan halen en daarmee dek ik haar toe voor ik de touwen weer vastmaak. Zo kunnen ze wat strakker en snijden ze niet.

Zal ik het nog een keer vragen? Ik kijk naar de keuken waar oma achter het raam staat. Ze weet wat ik denk en schudt haar hoofd. Ik pak de kruiwagen en Joris doet de poortdeur open.

Al bij het Bleekveld hebben we vijf kinderen achter ons aan. Waar ga je heen? Van wie is de geit? Wat is er met haar poot? Hoe heet ze? Hoe kom je eraan? Af en toe zet ik de wagen even stil om te rusten, de kinderen aaien de geit die alweer een poot heeft losgemaakt. Ze is een echte ontsnappingskunstenaar, een boeienkoningin. Ik zou haar niet Witbaard maar Houdini moeten noemen.

Magda wil dat we buiten de tuin wachten terwijl zij de dokter haalt. Hij moet lachen als hij ons met ons zevenen bij het hek ziet staan.

'Zo. Oma wilde geen geit, zie ik. En nu?'

'Ik hoopte dat u...'

'Wat denk je dat Magda ervan gaat zeggen?'

‘Ik zal haar elke dag komen verzorgen.’

‘En ik ook!’ roept Joris.

‘Twee keer per dag melken?’

Daar had ik nog niet aan gedacht. ‘Voor school en na school,’ beloof ik.

‘En u mag de melk, want die lust ik niet,’ zegt Joris.

‘Die is niet van jou,’ zeg ik. Die is voor papa, denk ik. Twee liter per dag, dat is vijftien of zestien cent per dag, meer dan een gulden per week.

‘Dat is aardig van je, maar ik zou niet weten wat ik ermee moet. Goed. Je mag haar hier achter het huis zetten, maar ik doe er verder niets aan.’

Joris doet het hekje open en ik rij de kruiwagen naar binnen. De vijf kinderen blijven buiten het hekje wachten, want de dokter is een rooie, een socialist, en die zijn niet te vertrouwen. Dat heeft meneer de pastoor vaak genoeg gezegd. Achter het huis maak ik het touw los en voorzichtig helpen we de geit uit de kar. De dokter pakt een touw en maakt er een mooie lus in. Hij doet de geit de lus om en geeft mij het andere einde van het touw.

‘Bind maar om de boom,’ zegt hij, en hij wijst naar de appelboom. ‘Maar hou haar kort, anders eet ze de camelia’s op.’

Daarna halen we een oud hondenhok uit de schuur en zetten dat op de rand van het grasveld. De geit staat er suffig naar te kijken. Pas als ik haar naar binnen duw begrijpt ze wat het is.

‘Camiel, pak even een emmer, een schone.’

Ik haal een emmer uit de praktijkruimte, en als ik ermee terugkom doet de dokter me voor hoe ik de geit moet melken. Veel melk is het nog niet, maar volgens de dokter is ze een goede geit en afgezien van de poot is ze gezond en sterk. De melk geven we aan Magda, om haar om te kopen, en dan gaan Joris en ik de kruiwagen terugbrengen naar de pastoor. Opa is boos als we veel te laat thuiskomen, maar dat kan ons deze keer helemaal niet schelen.

Betty

Door de geit heb ik even niet aan mijn vader gedacht, maar nu ik mijn geld tel krijg ik het weer benauwd. In een schrift heb ik alles wat ik heb opgeschreven, en dat is niet veel. Vier gulden zevenentachtig in munten, een pot ingemaakte kersen en een manke geit die nog geen geld oplevert. Betty (de naam heeft Joris bedacht) kost zelfs geld omdat ze speciale brokken nodig heeft en omdat ik de melk nog steeds aan Magda geef. Nog geen vijf gulden en ik heb bijna niets meer wat ik kan verkopen. Joris heeft wel spullen waar ik op school nog best wat voor kan krijgen, maar ik ben bang dat hij het snel doorheeft als zijn speelgoed verdwijnt. Gelukkig liggen op de vliering dingen die niemand mist.

Ik wacht tot oma en Joris niet thuis zijn; opa is in de werkplaats en kan me niet horen. Ik neem de flitspuit, een paardendeken en een bloempot mee om te verkopen, en ook een paar boeken van mijn vader. Hij mag zelf ook wel meebetalen aan zijn verdediging. Eigenlijk help ik oma ermee: op zolder nemen die dingen alleen maar ruimte in.

Ik leg alles onder mijn bed en neem ze de eerstvolgende keer dat ik schoenen moet rondbrengen stiekem mee. De flitspuit verkoop ik aan de overbuurvrouw nadat ik haar eerst bang gemaakt heb voor het wespen- en muggenseizoen dat er nu bijna weer aankomt. De paardendeken gaat naar Smulders – 'vindt u het ook nog zo koud 's nachts?' – en de bloempot is voor Magda. Wel jammer dat ze er maar vijf cent voor wil geven. Smaans wil de boeken van mijn vader wel hebben om de kachel mee aan te maken, maar een cent per boek is me te weinig.

Bij elkaar is het wel wat, maar niet genoeg. Het is oneerlijk, alsof het alleen míjn probleem is. Opa kan ook best wat geld geven, maar ik ga het niet vragen. In plaats daarvan verander ik de bonnetjes in de schoenen die ik rondbreng. Enen worden zevens, nullen achten, zessen of negens en drieën worden achten. Steeds een paar cent en alleen als het niet opvalt. Het verschil tussen het oude en het nieuwe bedrag stop ik in mijn linkerzak, de rest in mijn rechter. Ik voel me niet schuldig want voor opa maakt het niet uit. Hij krijgt precies wat hij daarvoor ook kreeg. En de klanten betalen maar een beetje te veel. Het maakt ze niet uit of ze merken het niet, want ze zeggen er niets van. Schreef opa de bonnen nou maar met potlood, dan zou ik de prijzen gemakkelijker kunnen veranderen en dan zou ik iets meer kunnen vragen.

Na het rondbrengen ga ik nog even bij mijn geit langs. Van ver zie ik haar al staan, op het dak van het hondenhok. Knap dat ze met haar houten poot erop geklommen is. Ze ziet er goed uit en ze is helemaal niet bang voor me. Magda staat in de keuken en klopt op de ruit als ze me ziet. Als Joris haar boze blik zag, zou hij een week niet kunnen slapen.

'Dat beest heeft mijn bloemen opgegeten.'

Ik schrik. 'Welke?'

'Mijn camelia's!'

Ik haal opgelucht adem. 'Gelukkig.'

'Wat!?'

'Die zijn niet giftig. Ik dacht de rododendron of...'

'Wat kan mij die geit schelen, wijsneus. Je vergoedt me die bloemen, en als het nog één keer gebeurt...'

'Sorry Magda, ik zal het touw nog korter maken. Wilt u misschien een weckfles?'

Ze klapt de deur dicht en laat mij buitenstaan. Hoe ik de bloemen moet vergoeden zegt ze ook niet. Misschien kan ik haar wat bloembollen geven. Ik zucht. Het saldo van vandaag: vijf gulden en een beetje min de bloemen.

Een schuld

De naaimachine is weer eens kapot en opa loopt moppe-rend door de werkplaats. Hij wil al langer een nieuwe ma-chine kopen, maar die zijn duur. Te duur. Ik buig me over de schoenen waar ik mee bezig ben.

'Waarom vraag je Roodhart niet om geld? Je werkt voor hem, dan mag hij je ook betalen.'

Ik weet niet wat ik zeggen moet. Als ik geld zou durven vragen, zou ik dat niet doen om er een nieuwe naaima-chine van te kopen. Ik knik en ga verder met de zool van de schoen. Maar opa is nog niet uitgepraat.

'Hij kan dan wel socialist zijn en roepen dat we alles eerlijk moeten delen, hij is wél een van de rijksten van het dorp.' De rest versta ik niet want opa buigt zich voorover om zijn gereedschap te pakken. Daarna moppert hij nog wat voor zich uit, maar al snel is hij helemaal verdiept in de naaimachine. Nog voor ik mijn schoenen klaar heb, heeft hij de machine weer aan de praat. Zijn humeur is meteen een stuk beter.

'Ik ben klaar, opa.'

'Ga ze dan maar meteen wegbrengen.'

Ik zet de schoenen in de mand. Door het raam zie ik dat het buiten zachtjes is gaan regenen.

'Opa? Zou u de bonnetjes met potlood willen schrij-ven?'

'Waarom?'

'Het regent, de inkt loopt uit.'

'Ik ga ze nu niet opnieuw doen.'

'De volgende keer dan? Moeten die ook mee?' Ik wijs naar de handschoenen van Martens, die op de hoek van de tafel liggen.

'Nee, hij komt ze halen.'

Voor ik wegga verander ik op de wc nog een paar bonnetjes. Twaalf cent is het verschil, want het zijn maar weinig schoenen. Drie kwartier later ben ik terug. Martens staat in de werkplaats met opa te praten. Hij grijnst naar me als ik beneden kom. Ik groet hem en pak de handschoenen.

'Opa, waar is het bonnetje?'

Opa komt overeind en schudt zijn hoofd. 'Dat is goed zo.'

Martens bedankt niet eens. Hij pakt de handschoenen aan, steekt ze in zijn jaszak en groet. Zijn lucht, sigaretten met eau de cologne, blijft in de werkplaats hangen, zelfs als hij allang buiten is.

'U bent er heel lang mee bezig geweest!'

Opa pakt de bezem en begint te vegen.

'Martens is rijker dan de dokter,' mopper ik. 'Waarom hoeft hij niet te betalen?'

Opa draait zich naar me om. Hij leunt op de bezem en haalt diep adem. 'Ik zal je zeggen waarom hij niet hoeft te betalen. Omdat die vader van jou zo slim was om geld te lenen van Martens. Heel veel geld. En het wordt alleen maar meer, omdat die vader van jou...' Hij slikt de laatste woorden van de zin in en kijkt even naar de trap. 'Hoe denk je dat de rente nu betaald wordt?'

'Komen jullie eten?' roept oma van boven.

'Ik kom,' bromt opa. Hij steekt me de bezem toe. 'Schiet een beetje op, we gaan eten.'

Na het eten gaan Joris en ik naar boven. Joris heeft een moppenboek gevonden en daarom hoef ik hem vanavond geen verhaaltje te vertellen. Ik stop de twaalf cent die ik overgehouden heb van de ronde in mijn spaarpot en denk aan Martens. Mijn vader heeft een schuld, hij moet rente betalen. En erg veel verdient hij niet, dat had Henri gezegd. Misschien komt het wel door de schuld... En dan bedenk ik dat Martens zijn geld niet terugkrijgt als mijn vader in de gevangenis zit.

'Camiel?' roept oma van beneden.

'Ja oma.'

'Heb jij mijn weckflessen gezien?'

Ik ga de trap tot halverwege af.

'Ik dacht dat ik er boven nog drie had, maar ik kan er nog maar één vinden.'

'Nee, ik heb ze niet gezien vandaag.' En dat is geen hele leugen, want gisteren heb ik ze onder mijn bed gelegd.

'Vreemd,' zegt oma en ze loopt hoofdschuddend naar de keuken.

Een onverwacht aanbod

Een paar jaar geleden heeft Martens het huis van de notaris gekocht. Het was groot en streng en een beetje saai, maar Martens heeft de tuin vol gezet met witte beelden. Midden in het grind van de oprit staat de fontein die hij uit Italië heeft laten komen, zonder water, omdat de bak de eerste winter al kapotvroor. Naast de voordeur hangt een glanzende geelkoperen plaat waarin met krullerige letters *C.M.P. Martens. Handelsonderneming* gegraveerd staat. Ik trek aan de bel en laat de stang terugschieten. In de hal klingelt het. Een vrouw doet open. Ze ziet eruit als een actrice en ze kijkt me ongeïnteresseerd aan.

'Ja?'

'Ik kom voor meneer Martens.'

'Waar gaat het over?'

'Stuur maar door, Janine,' bromt Martens vanuit de voorkamer.

De vrouw stapt opzij, ik doe mijn pet af, veeg mijn voeten en stap de hal in. Het ruikt er naar boenwas en naar de sigaren en de eau de cologne van Martens. Martens zit in de voorkamer achter een enorm bureau. Hij rookt en lacht naar me als ik binnenkom.

'Zo, de jonge Roossen. Ik had al het idee dat ik je snel weer zou zien. Wat brengt je hier?'

Gisteravond heb ik het geoefend, ik wist precies hoe ik het zou zeggen, maar nu twijfel ik even. Ik kijk naar zijn dikke vingers en zijn opzichtige ring. Naar zijn smakkende lippen en de bolle sigaar ertussen, en naar zijn kleine oogjes die me aandachtig en ook een beetje spottend aankijken. Ik adem in en begin.

'Ik hoorde dat mijn vader geld van u geleend heeft. Maar er is wat gebeurd en daarom kan hij het niet aan u terugbetalen.'

Martens reageert niet.

Ik haal de pot kersen uit mijn tas en zet hem op het bureau, samen met de envelop met al mijn spaargeld. Een spottend glimlachje glijdt over Martens' gezicht. Hij kijkt in de envelop.

'Je komt de rente betalen.'

Ik slik. 'Eigenlijk...'

'Wil je wat drinken?'

'Nee, dank u.'

'Eigenlijk...?'

'Eigenlijk wil ik ook geld van u lenen.'

Martens schuift zijn stoel een stukje achteruit. 'Begin eens opnieuw.'

'Nou, er is iets gebeurd...'

'Ja, je vader zit in het Huis van Bewaring in Waesdrecht.'

Hij weet het al. Ik knik.

'Hij heeft geen geld voor een goede advocaat. En dan moet hij misschien wel de gevangenis in en dan kan hij de schuld niet aan u terugbetalen...'

'En jij dacht: ik ga Martens vragen om geld voor een advocaat.'

Ja, dat dacht ik. Ik knik.

'Stel, ik leen je dat geld voor een advocaat. Hoe ga je dat dan terugbetalen? Met kersen?'

Hij gaat achterover in zijn stoel zitten en vindt zichzelf erg grappig. Ik niet. Ik haat hem. Omdat hij me uitlacht. Omdat mijn vader een schuld bij hem heeft en misschien daarom wel vastzit. Maar ik laat het niet merken, want ik heb hem nodig.

'Ik kan werken. Ik werk ook voor mijn opa en voor dokter Roodhart.'

Hij zuigt aan zijn sigaar en blaast de rook langzaam uit. 'Weet je nog dat ik je tegenkwam met de auto in het bos?'

'Zeker.'

'Loop je daar nog wel eens?'

'Niet zo vaak, ik heb niet zoveel tijd.'

'Ken je de vennen?'

'Alle drie.'

Martens knikt. 'Het moeras?'

'Zeker. En alle paden erdoorheen.'

'Het berkenbosje? De stille wachter, de steen? Golgotha?'

Het lijkt net een examen. En ik ken alle antwoorden, ik blijf knikken.

'In het donker?'

Ook in het donker. Het is lang geleden dat ik met mijn vader 's avonds in het bos gelopen heb, maar ik weet dat ik zelfs met een heel klein beetje licht de weg zou vinden. Ik knik.

'Janine!' roept Martens.

Janine verschijnt. Ze is zijn secretaresse of huishoudster, maar ze kijkt alsof ze hem een gunst bewijst door te komen.

'Janine, hebben we ranja voor de jongeheer Roossen? En geef mij maar een scotch.'

Ze knikt, een lachje kan er niet van af.

'Je vader heeft mij ook vaak geholpen.'

Ik begrijp het niet. 'Waarmee dan?'

Martens lacht. 'Hoe zal ik het noemen... Grensoverschrijdende activiteiten?'

Het duurt even voor ik het begrijp, en dan bedenk ik met een schok dat hij smokkelen bedoelt. Mijn vader, een smokkelaar! 'O,' zeg ik, want ik weet niets beters te zeggen.

'Goeie gids, nooit problemen. Kan jij dat ook?'

Janine komt de kamer binnen, en zet de twee glazen net iets te hard op het bureau. Martens doet alsof het gewoon is en glimlacht om haar te bedanken, maar Janine is de kamer alweer uit.

'Nou?'

'Kan jij dat ook?' vraagt hij, maar wat hij bedoelt is: 'Ga je me helpen met smokkelen?' Dat is niet wat ik bedoelde met werken voor Martens.

'Ik heb van de week een gids nodig. Ik heb twee dragers. Als jij ze naar de overkant en weer terug brengt, regel ik een advocaat voor je vader.'

Weet hij wel wat hij vraagt? Ik ben elf!

Martens neemt een slokje uit zijn glas en kijkt me strak aan.

'Ik geef je vijf gulden. Vijf gulden per keer, én ik regel een advocaat. Moet ik het wel snel weten.'

Ik weet dat ik het kan, en vijf gulden is veel geld. Ik zou ja moeten zeggen.

'Nou, drink je ranja op, ik moet verder. Ik hoor het van je. Morgen of anders maandag. En neem die kersen maar weer mee. Ik hou niet van kersen, ik hou alleen van geld!'

Weer moet Martens heel hard om zichzelf lachen. Met een rood hoofd steek ik de pot terug in mijn tas en loop de kamer uit. De vrouw staat me in de gang op te wachten. Ze heeft de voordeur al opengedaan. Als ik naar buiten stap hoor ik Martens nog lachen.

Kan ik nog terug? Kan ik tegen Martens zeggen dat ik zijn geld toch niet wil? Het voelt alsof ik mijn ziel ga verkopen, want ik weet dat Martens niet te vertrouwen is. De pot kersen in de tas klotst tegen mijn heup.

'Wat is dit?' vraagt opa als ik de werkplaats in kom. Hij houdt een paar schoenen omhoog dat ik van de week bezorgd heb. Het bonnetje! Hij heeft gezien dat ik de cijfers veranderd heb! Nu weet hij het.

'Je hebt niet goed opgelet. Hier.' Hij pulkt aan het losse stiksel van de achterbies en het hielpand. 'Niet goed aangehecht, niet goed afgehecht. Twee dagen geleden gemaakt en nu al los. Je gaat het nu meteen maken en goed deze keer, en je brengt straks die schoenen nog terug. Begrepen?'

'Ja opa.' Ik pak de schoenen aan en zet ze op de werkbank. Ik kreeg bijna een hartverlamming omdat ik van een drie een acht gemaakt heb. Voor vijf cent! En al het werk moet ik nog een keer doen, en daar krijg ik niets voor. Ik haat schoenen nog meer dan Martens; het liefst zou ik ze dwars door de ruit op de straat gooien en meteen naar hem toe gaan. Ik zucht.

'Nou,' zegt opa. 'Zo erg is het nou ook weer niet. Je leert het echt wel. Kom maar hier, dan help ik je.'

'Dank u wel,' zeg ik, maar ik denk: raar dat hij zelfs een zucht verkeerd kan begrijpen.

Twijfel en keuzes

Zacht ritselen de jonge blaadjes. Mijn boom, noem ik hem. Er staan tientallen namen in de bast gekrast, maar niet die van mij. Ik heb het nooit gedaan. Omdat het lelijk is, omdat de bast juist het levende deel van de boom is en je hem ermee kapotmaakt en omdat je je naam alleen op dingen zet als het onduidelijk is dat iets van jou is. Er is niemand anders die zegt dat het zijn boom is, dus waarom zou ik mijn naam erin moeten snijden? En als de boom niet van mij is, dan wordt hij dat ook niet als ik er mijn naam in kras.

Als ik in mijn boom zit denk ik na over de dingen die ik gedaan heb, of juist niet. Soms denk ik over dingen die ik nog moet doen, maar meestal is het achteraf. Ik denk dat het daarom na-denken heet.

Mijn vader kent ieder pad en ieder spoor in het bos, van hier tot ver over de grens. Ik zou niet verbaasd moeten zijn dat hij gesmokkeld heeft. Smokkelen is ook niet zo erg als stelen. Eigenlijk is het een soort handelen. Als iets in het ene dorp goedkoper is dan in het andere, ga je het halen in het dorp waar de prijs het laagst is. Bij ons mag dat niet van de Belastingdienst, omdat dat dorp toevallig aan de andere kant van de grens ligt. Het mag niet, maar je doet er niemand kwaad mee. En toch ben ik geschrokken. Want in een paar dagen tijd ben ik van alles over mijn vader te weten gekomen. Over smokkelen, over een schuld bij Martens en dat mijn vader voor hem werkte, en over verduistering. Wat weet ik nog meer niet van hem?

Ik ben zelf bij Martens langsgegaan en heb hem zelf gevraagd of hij me kan helpen. Nu twijfel ik, want als ik het doe, leen ook ik geld van hem, en ik weet niet eens hoeveel. Wat kost een advocaat, en wie zegt dat die advocaat mijn vader vrij krijgt? Straks zit mijn vader in de gevangenis en heb ik zelf ook een schuld. En hoe moet ik die als leerling-schoenmaker afbetalen? Maar wat als ik Martens níét help?

Een besluit genomen

'Hé Camiel. Ga je de geit melken?' Fransje komt naast me lopen en kijkt naar mijn emmer. Hij heeft moeite om me bij te houden, want ik heb haast.

'Straks.'

'Ja, je gaat de verkeerde kant op. Waarom heb je haast?' Fransje hijgt inmiddels.

'Ik moet nog wat doen. Tot morgen.' Ik hoop dat hij afhaakt, maar hij blijft meelopen, met steeds een gehaast extra stapje tussendoor om bij te blijven.

'Waar ga je heen?'

'Die kant.' Ik wijs met de emmer.

'Ja, dat snap ik, die kant. Naar wie?'

Hij blijft meelopen, ik kan het net zo goed zeggen. 'Naar Martens.'

'Waarom?'

'Handschoenen,' bedenk ik. 'Ze zijn nog niet klaar. Dat moest ik van mijn opa gaan vertellen.'

We komen aan bij het huis van Martens. Bij het hek sta ik even stil. Fransje komt met een rood aangelopen hoofd naast me staan. Hij hijgt.

'Ik hoop niet dat hij boos wordt.'

Ik bijt mijn kiezen op elkaar, stap het grind op en loop naar de voordeur. Fransje blijft bij het hek staan, half verscholen achter de heg.

'Camiel!' sist Fransje me achterna. 'Pas op hè. Martens is een bruut!'

Alsof ik dat niet weet. Ik steek een hand op zodat Fransje weet dat ik hem gehoord heb, maar draai me niet om en loop door. Deze keer hoef ik helemaal niet te bellen. Zodra ik bij de deur kom gaat hij open. Martens kijkt langs me naar het hek. Als ik me omdraai zie ik nog net Fransje wegduiken.

'Zo. Eindelijk uitgedacht?' Martens laat me niet binnen maar doet de deur achter zich dicht en legt een arm op mijn schouder. Hij leidt me in de richting van de auto die verderop geparkeerd is.

'Ik doe het,' zeg ik, 'maar...'

'Mooi, daar had ik al op gerekend. Ik heb al iemand geregeld voor je vader. Mooie emmer trouwens.'

'Hoeveel geld moet ik lenen?'

Martens staat even stil. 'Tsja, moeilijk te zeggen.' Hij grijnst. 'Komt wel goed.' Dan begint hij weer te lopen. 'Eerst die vader van je maar eens vrij krijgen.'

Hij doet de deur van de auto open en stapt in. 'Kom morgen aan het einde van de middag maar even langs.' Hij start de motor en slaat de deur dicht. 'Meerijden?'

'Nee, dank u.'

Martens rijdt de tuin uit; grind ratelt tegen de spatborden. Als de auto de weg op draait komt het hoofd van Fransje boven de heg tevoorschijn. Ik loop naar het hek.

'En?' vraagt Fransje. 'Hij leek niet heel boos.'

Dat is nog veel enger, denk ik. Ik houd de emmer omhoog.

'Ik moet naar de dokter, naar de geit. Tot morgen.'

Beloften en schuld

Er is een brief voor Joris. De envelop is volgeplakt met buitenlandse postzegels. Als je goed kijkt zie je dat de stempels wel op de postzegels maar niet op de envelop staan, maar wie let daarop? Joris niet.

'Van papa,' zegt hij. 'Alleen voor mij. Heb jij er ook een?'

'Nee, ik geloof het niet.'

Joris gaat met zijn vinger over de postzegels en de moeilijke letters erop. 'Wat is *Groschen*?'

'Dat is Oostenrijks voor "centen".'

'Oostenrijk. Is dat ver?'

'Verder dan Duitsland.'

Joris knikt. Hij maakt de brief open en begint te lezen. Langzaam prevelt hij de woorden; mijn vader schrijft niet erg duidelijk. Ik ga naast hem op het bed zitten en lees mee. Als ik niet wist dat hij helemaal bij elkaar verzonnen was, zou ik het allemaal zomaar geloven: de beschrijving van de reis, van de stad en het theater in Wenen en van de artiesten met wie onze vader optreedt. Hij vertelt welke trucs hij doet (de Fakir, de Verdwijnkast) en hoe het publiek erop reageert. Joris glimt, maar ik moet denken aan alle brieven die we eerder kregen en dat ik ze nooit meer zal kunnen lezen zonder te twijfelen.

In de envelop zit ook een tekening van het theater in Wenen, dat verdacht veel lijkt op het Huis van Bewaring in Waesdrecht; hij heeft alleen de tralies weggelaten. Het is een puzzel en met een paar aanwijzingen moet Joris bedenken achter welk van de tien ramen de goochelaar zit. Ik moet er bijna om lachen. Later, in de werkplaats, geeft opa me de brief die mijn vader voor opa, oma en mij geschreven heeft. Hij schrijft dat hij nu een advocaat heeft en dat hij goede hoop heeft dat het allemaal mee gaat vallen.

Ik ben blij. Bijna zeg ik tegen opa dat ik de advocaat geregeld heb. Het goede gevoel duurt maar even.

'Camiel? Martens kwam langs en vroeg of je om vijf uur bij hem wilde langskomen.'

Martens heeft zijn woord gehouden, ik kan er niet meer onderuit. Snel ga ik aan de slag.

'Pas je op met die man?'

Ik kijk op, maar het was geen vraag. Opa is alweer over zijn werk gebogen.

Vijf voor vijf sta ik met de schoenenmand in mijn hand voor de deur van Martens. De vrouw, Janine, doet open. Ze laat me zonder iets te zeggen binnen en klopt op de deur van de kamer van Martens, die deze keer dicht is. Martens bromt wat en ik ga naar binnen. Achter me doet Janine de deur weer dicht. Martens zit achter zijn bureau; in twee stoelen tegenover hem zitten twee mannen. Ze kijken me aan als ik binnenkom en ik zie dat ze schrikken. Verbaasd kijken ze Martens aan.

Martens wijst naar de derde stoel. 'Camiel, ga zitten,' zegt hij.

Een van de mannen kijkt Martens boos aan. Hij wil overeind komen, maar Martens steekt een hand op.

'Camiel is jong, maar hij weet de weg. Geleerd van zijn vader. Dit zijn Johannes en Pieter. Heren, dit is de jongen van Roossen.'

De mannen kijken naar elkaar; dan kijkt een van hen mij onderzoekend aan.

'De zoon van Leon, hè? Ik hoorde dat hij vastzit,' zegt de ene.

De andere, de man die net wilde opstaan, twijfelt nog.

'Ik weet het niet hoor... Het is nog een kind...'

'Ik ken het bos nog beter dan mijn vader,' zeg ik. Ik heb het werk en het geld nodig.

'Ook in het donker?'

Ik knik, maar nog twijfelen ze.

'Nou, dan doen we het niet,' zegt Martens. 'Dan wachten we gewoon tot Leon er weer is, of we vragen de Kruier.'

De mannen kijken elkaar aan. Wachten op mijn vader of de Kruier lijkt ze duidelijk niet zo'n goed idee.

'Ik sta voor hem in,' zegt Martens. Wat hij daarmee bedoelt weet ik niet, maar het klinkt goed en het overtuigt de mannen.

'Kent hij de schuur van Servaes?'

'Ja, die ken ik.'

'Draagt hij ook?'

Martens schudt van nee. 'Kinderarbeid is verboden, hè. Alleen gidsen.'

'Oké, donderdagnacht twaalf uur hoek Steenweg en Grensweg. Zorg dat je op tijd bent.'

'Camiel zorgt dat hij op tijd is,' belooft Martens in mijn plaats.

De mannen staan op, knikken naar Martens en naar mij en gaan naar buiten. Zelf sta ik ook op.

'Stel me niet teleur, jongen,' zegt Martens. Ondanks zijn glimlach klinkt het als een dreigement.

Jaloezie

Nog vierenvijftig uur. Is dat veel? Liever had ik er maar zes gehad en was ik vanavond gegaan. Door die twee dagen ga ik piekeren. Stel dat het te donker is, dat het bewolkt is en dat er te weinig licht is. Of dat ik verdwaal omdat ik de weg toch niet precies weet, of dat ik door mijn zenuwen verkeerd loop? Ik moet een touw meenemen voor als ik het moeras in loop. Wat moet ik doen als we grenswachters tegenkomen, een patrouille met honden?

'Camiel?' Joris staat in de deuropening van mijn kamer. Hij heeft zijn pyjama al aan. 'Ik heb een verrassing voor je!'

'Wat dan?'

Joris schudt zijn hoofd. 'Zeg ik niet. Laat ik morgen zien.'

'Een leuke verrassing?'

'Een hele leuke.'

'Een leuke verrassing, ik ben benieuwd.'

'Morgen!'

Hij is blij dat hij me nieuwsgierig gemaakt heeft. Hij gaat naar zijn kamer en het gepieker komt terug. Heb ik wel goede kleren? In mijn kast zoek ik donkere kleren bij elkaar. Een donkerblauwe broek, een zwarte wollen trui en mijn winterpet. Misschien moet ik mijn gezicht zwart maken met roet of kachelpoets. En dan bedenk ik dat ik misschien wel niet wakker kan blijven tot half twaalf. Ik moet een wekker zetten, maar hoe word ik wakker zonder dat de rest van het huis het hoort? Ik zet de wekker op vijf minuten na nu en leg hem onder mijn kussen. Dan ga ik op de gang staan en doe de kamerdeur dicht en wacht. Ik wacht, adem zo stil als ik kan, want de deur van Joris' kamer staat open en als hij me hoort vraagt hij zeker wat ik aan het doen ben. Dan gaat de wekker. Te hard, veel te hard. Zelfs door de deur zou ik er wakker van worden. Snel ga ik naar binnen en doe de bel uit.

'Miel? Wat doe je?'

'Niks, ga maar slapen.'

'De wekker ging.'

'Ja, maar dat was een vergissing. Slaap lekker.'

Ik zet de wekker weer op vijf minuten, wikkel er nu een handdoek omheen en leg hem onder het kussen van mijn bureaustoel onder de deken in mijn bed. Deze keer wacht ik in de kamer tot hij afgaat. Je hoort hem bijna niet. Maar word ik daar wel wakker van? Ik zet hem op zeven uur en ga slapen.

'Hé Camiel, wacht op mij!'

Mijn klas was iets eerder uit dan die van Joris. Hij haalt me op straat in.

'Ik moet naar Betty.'

'Weet ik. Ik ga mee.'

Ik ben moe. Vannacht heb ik slecht geslapen. Ik werd een paar keer wakker door de wekker. Niet omdat hij afging, maar omdat ik ertegenaan stootte. Het enige goede was dat hij me wekte om zeven uur. Bij het hek van de dokter houdt Joris me tegen.

'Nu komt de verrassing,' zegt hij. Hij kijkt er heel serieus bij.

Joris gaat me voor, de tuin in, en loopt naar de zijkant, waar het hok van Betty staat. Betty staat met haar kop tegen de boom te schuren. Ze kijkt op en lijkt blij ons te zien, of eigenlijk: ze lijkt blij om Joris te zien. Ik rammel met de emmer en hoop dat ze naar mij toe komt, maar ze loopt naar Joris. De verraadster.

'Let op.' Joris staat stil en kijkt Betty strak aan. 'Betty, kniel!' Joris zegt het alsof Betty een hond is. Rare Joris. Maar dan zakt Betty door haar voorpoten en knielt. Joris lacht tevreden.

'Nou?'

'Heb jij haar dat geleerd?'

''s Middags, als jij de schoenen aan het rondbrengen bent. Zitten gaat nog niet met haar poot, maar ze kan ook blijf en... Betty, kom hier!' Betty komt overeind, loopt naar hem toe en drukt haar snoet tegen zijn broekzak. Joris haalt er wat uit en geeft het aan haar.

'Wat geef je?'

'Gewoon, brokjes.'

'Daarom gaan ze zo snel op! Dat zijn mijn brokken.'

'Voor Betty, en ik geef ze toch aan haar?'

'Ja, maar...'

'Anders doet ze het niet. Kijk... Betty, draai!'

Even aarzelt ze, maar als Joris met zijn hand in de lucht roert draait Betty een rondje op de plaats.

'Nu ik.'

Joris haalt een paar brokjes uit zijn broekzak en geeft ze aan me. Ik houd een brokje in mijn hand.

'Betty, kom!' roep ik.

Meteen komt ze naar me toe.

'Kniel!' zeg ik en ze doet het.

Joris begint te lachen en ik lach mee. Achter ons doet Magda de keukendeur open.

'Hou op met dat lawaai. Het is hier geen speelplaats!'

Meteen doet ze de deur weer dicht. Joris kijkt me aan en haalt zijn schouders op. Betty komt overeind en duwt haar snuit tegen mijn broekzak.

'Draai,' zeg ik, en Betty knielt.

'Je moet zo doen met je hand,' zegt Joris. 'Anders begrijpt ze het niet.'

'Draai,' zeg ik, en ik schrijf voor haar neus een cirkel in de lucht. Betty springt op en begint te draaien.

'Weet je,' zegt Joris, 'ik denk dat ze zo haar best doet omdat we haar gered hebben.'

Ze staat stil en kijkt me aan. Ik denk aan ons vader. Doet hij straks ook extra zijn best als hij gered is? Wat zou hij voor mij moeten doen?

'Zo, de gebroeders Roossen.'

We hebben de dokter niet horen aankomen. Dokter Roodhart legt een hand op Joris' hoofd. 'Heb je het je broer al laten zien?' vraagt hij aan Joris.

De dokter wist het al.

'Ik wist dat geiten slim zijn, maar deze... Deze heeft artiestenbloed.'

Magda kijkt naar ons door het keukenraam. Ik doe alsof ik haar niet zie, de boze heks. Waarom is ze altijd zo kwaad? Zou ze jaloers zijn?

'Ik moet melken, en ik moet opa ook nog helpen. Of wil jij vandaag melken, Joris?'

Joris schudt van nee. Terwijl ik de geit melk, gaat hij met de dokter naar binnen om limonade te drinken. Ik zie ze in de keuken, de dokter en Joris. Joris praat, hij is trots op wat hij Betty geleerd heeft, dat zie je zonder dat je het hoort. Hij praat met zijn armen en maakt de dokter aan het lachen. Nu ben ik jaloers. Want voor Joris is het alsof het elke dag vakantie is.

Het melken gaat moeilijk, Betty wil niet stilstaan. Ze draait en trapt met haar stoel-poot.

'Sta stil,' grom ik, maar dát heeft Joris haar niet geleerd. Ze bokt, ik knijp te hard en ze schopt de emmer om. De melk loopt in het gras.

'Stom beest!' Ik pak de emmer en duw Betty ruw opzij. Zoek het maar uit, ik ga. Ik kijk niet opzij naar het keukenraam. Ik ga niet naar huis, laat opa de schoenen maar doen. Ik doe niks meer. Achter me staat Betty klaaglijk te mekkeren, want ik was nog niet klaar met melken. Een paar stappen probeer ik nog door te lopen, maar ik kan het niet.

Zelfs een geit voelt dat ik geen nee kan zeggen.

Nachtwandeling

Opa en oma gaan naar bed en langzaam wordt het huis stil. Zo stil dat ik het gesmoorde tikken van de ingepakte wekker kan horen. Ik wacht en hoop dat ik in slaap val.

Om kwart over elf controleer ik voor de vierde keer de wekker en om half twaalf sta ik op en kleed ik me aan. Mijn kamerdeur gaat zonder kraken open. Joris ademt zachtjes. Op kousenvoeten sluip ik de trap af. Op de overloop houd ik even stil om te luisteren. Opa ronkt en smikkelt in zijn slaap. Zelfs oma, die altijd heel licht slaapt, wordt niet wakker. Ik sla de krakende tree over en pak mijn schoenen. In de keuken trek ik ze aan; ik zet mijn pet op en doe voorzichtig de keukendeur open. Alles blijft stil. Naar buiten, deur dicht en dan sluipend naar de tuindeur. Ook als die achter me weer dichtzit, ben ik er nog niet: niemand in onze straat mag me horen en daarom durf ik pas normaal te lopen als ik de hoek om ben. De jonge maan schijnt me in mijn gezicht. Ik heb er nog over gedacht om een zaklamp mee te nemen maar het is niet nodig.

Nergens schijnt licht, het hele dorp slaapt. Zelfs de erfhonden van de boerderijen waar ik langs kom slapen. Met elke stap die ik verder van huis ga, klinken mijn voetstappen eenzamer, klopt mijn hart luider. Ik dwing mezelf om door te lopen en niet om te kijken. Vooruít moet ik. Het is net als wanneer je in een hele hoge boom klimt: doorgaan, niet terugkijken want als je dat doet, durf je niet verder of val je.

Op de hoek van de Steenweg en de Grensweg staan Johannes en Pieter op me te wachten. Ze groeten me met een knikje; beiden hebben ze een grote tas op hun rug.

'Hoe lang is het tot de schuur van Servaes?' vraagt Johannes.

'Een uur, iets meer misschien.' Mijn stem slaat over.

'Alles goed?'

'Alles goed,' zeg ik en nu klink ik kalm. Dan gaan we. Ik voorop, de mannen een paar passen erachter.

Verderop begint het bos, van een afstand oogt het zwart en massief, als een muur. Ik ben bang, ik wil terug. Hoe kon ik denken dat ik zonder mijn vader in het donker de weg zou weten? Met elke stap komt de bosrand dichterbij, worden de bomen groter en de schaduwen zwarter. Ik kan het niet. Ik ga het ze zeggen. Dan slaat de kerkklok twaalf keer; het klinkt als een waarschuwing. Ik slik mijn woorden in, moet hoesten en smoor het geluid door mijn onderarm tegen mijn mond te drukken. Een korte blik achterom naar Johannes en Pieter, die me volgen. Of achtervolgen. Ik heb geen keus, ik moet verder. De bosrand opent zich en ik kan in het maanlicht bomen onderscheiden, het pad. Ik haal diep adem. Niet twijfelen, ik kan het!

We volgen het houthakkerspad. In de maanschaduw van de bomen zijn we bijna onzichtbaar; toch sla ik af bij de eerste wissel die we kruisen. Het paadje is smal en kronkelig, en twijgen en takken strijken langs onze armen en benen, maar alles is beter dan het brede pad waarop ik me van alle kanten bespied voel. Johannes en Pieter volgen me op een paar passen afstand. In gedachten kan ik duizend keer tegen mezelf zeggen dat ik het kan, dat ik de weg weet, maar ik voel de paniek vanuit mijn buik omhoog kruipen. Ik bijt op de binnenkant van mijn wang en knijp mijn nagels in mijn handpalm. Rustig ademen. Heel even lukt het, maar dan zie ik verderop licht schimmeren. Mijn bloed bevriest, ik verstijf en Johannes en Pieter lopen bijna tegen me op. Omkeren en wegwezen, schreeuwt alles in mijn lijf, maar ik dwing mezelf te blijven staan. Het licht komt niet dichterbij, ik hoor niks en dan weet ik wat het is. Het is de weerspiegeling van de maan op het water van de plas. Schijterd die ik ben.

'Wat is er?' fluistert Johannes.

'Ik dacht dat ik iets hoorde.'

Pieter kucht. Hij weet dat ik lieg, dat ik bang ben. Morgen vertelt hij het aan Martens en dan is het afgelopen.

Ik heb nog maar twee stappen gedaan als een zwarte schaduw zich losmaakt van een tak, geluidloos voor ons uit scheert en tussen de bomen verdwijnt. Nu hoor ik Pieter schrikken.

'Een uil,' fluister ik, dat was het.'

Johannes knikt en we gaan verder. Om de plas heen en door het moeras. Dan bedenk ik dat ik het touw vergeten ben. Zonder touw door het moeras, dat is als trapezewerken zonder vangnet: één foutje en je bent de pineut. Met kleine stapjes volg ik het spoor tussen de biezen; ik moet zo goed opletten dat ik bijna vergeet om bang te zijn. Vlak achter me volgen Johannes en Pieter. Ze ademen snel en oppervlakkig en dat kan onmogelijk zijn omdat we zo hard lopen. Een wolk glijdt voor de maan en even is het te donker om elkaar te zien. Ik sta stil en voel de hand van Johannes op mijn schouder.

'Heb je een lamp?' fluistert hij.

Ja, in de la van mijn bureautje, denk ik en ik doe alsof ik hem niet hoor. Elf tellen duurt het, dan komt de maan weer achter de wolken tevoorschijn. Het laatste stuk loop ik zo snel als ik kan. Aan de overkant volg ik de bomen langs de oever tot ik het pad tegenkom dat naar de schuur van Servaes leidt. Het is niet ver meer en ik ga vanzelf steeds harder lopen.

'Rustig!' hoor ik Johannes zuchten.

Het pad eindigt bij de bosrand. Verder ga ik niet. Ik wijs op de schuur die aan de overkant van het veldje staat. Achter een raam brandt licht.

'Loop je niet mee?' vraagt Johannes.

'Ik blijf hier wel even wachten,' zeg ik. Ik ken Servaes niet en hij kent mij niet en dat wil ik graag zo houden. Hoe minder mensen weten dat ik dit doe, hoe beter.

Johannes en Pieter kijken even om zich heen en steken dan gehaast het veldje over. Opeens ben ik erg alleen. Iemand doet de deur van de schuur open, even zijn Johannes en Pieter en het silhouet van een grote man binnen heel goed te zien in het licht dat door de deur naar buiten stroomt. Johannes en Pieter gaan naar binnen, de deur gaat dicht en het is weer donker.

Ik durf me niet te veel te bewegen, maar eigenlijk is het te koud om stil te staan. Ik maak me klein, ga op mijn hurken zitten met mijn armen om mijn knieën en hoop dat ik zo niet helemaal verkleum. Met mijn ogen houd ik de schuur, en met mijn oren het bos achter me in de gaten. Schaduwen van wolken kruipen over de grond, donkere vlekken in het maanlicht. Achter me ritselt het bos en een paar keer ben ik ervan overtuigd dat er iemand achter me door de struiken sluipt.

Van schrik val ik bijna achterover als de deur van de schuur weer opengaat en Johannes en Pieter naar buiten komen. Ik ga snel staan. Johannes en Pieter steken het veldje over en ik zie ze schrikken als ik uit de schaduw stap.

'Kunnen we terug?' fluister ik.

'Ja, we zijn klaar,' zegt Johannes. Hij wijst op de rugzak, die nog groter is dan op de heenweg. Hij klinkt tevreden.

Op de terugweg schijnt de maan ons in de rug. Johannes en Pieter zijn groot en zwart en van kilometers afstand te zien. Ik blijf zo dicht mogelijk in de buurt van de bosrand en ga nu om het moeras heen. Het is verder lopen, maar de maan geeft te veel licht en in het open veld vallen we te veel op. Mijn benen zijn zwaar en ik ril van de kou. Het liefst zou ik rechtdoor naar huis lopen en meteen gaan slapen. Twee keer sta ik even stil – een beweging tussen de bomen, een vreemd geluid – maar beide keren is het loos alarm. Ik gaap en loop het laatste stuk tot het kruispunt.

'Zo, daar zijn we weer. Goed gedaan jochie,' zegt Johannes. Pieter bromt iets instemmends. 'Ga maar snel naar bed.'

Ik knik en strompel naar huis.

Buiten, op het plaatsje, doe ik mijn schoenen uit en ik ga naar binnen. Het komt echt omdat ik zo moe ben: halverwege de trap struikel ik. Eén voet glijdt van de tree en komt met een bons op de tree eronder. Doodstil blijf ik staan.

'Camiel, ben jij dat?'

'Ja oma,' fluister ik. 'Sorry, ik moest plassen.'

'Ga snel weer slapen.'

'Ja oma.'

Ik sluip naar boven, kleed me uit en slaap al voor mijn hoofd op mijn kussen ligt.

Loon en hoop

Ik loop op een pad door een donkerblauw bos. Het zand lijkt bijna wit in het maanlicht. Ik kom op een splitsing en ik twijfel: welke kant moet ik op, links of rechts? Ik voel dat ik bekeken word. Ik moet hier weg, want het is gevaarlijk om in het maanlicht te blijven staan, maar ik kan niet kiezen. Iemand pakt me bij mijn arm en mijn hart slaat over van schrik. Joris staat naast mijn bed.

'Miel? Opstaan. Je hebt je verslapen.'

Ik zit rechtop in mijn bed.

'Is je wekker niet gegaan?'

'Hoe laat is het?'

'Kwart over half acht. De kleine wijzer...'

'Ja ja.' Ik haal diep adem en sla mijn deken terug. Ik heb mijn sokken nog aan.

'Had je koude...?'

'Ga nou maar, ik kom.'

Ik kleed me aan, prop beneden een boterham naar binnen terwijl Joris bij de keukendeur staat te wachten, en dan rennen we samen naar school. Halverwege bedenk ik dat ik de emmer vergeten ben. Joris rent door, ik ga terug om hem te halen en kom te laat. Pas als ik op school ben, bedenk ik dat ik de emmer ook tussen de middag had kunnen ophalen. Door het raampje in de deur zie ik ze in de klas bidden. Misschien bidden ze wel voor mij, omdat ik er niet ben en de meester denkt dat ik ziek ben of dat er iets met me gebeurd is.

Het is best een fijne gedachte.

Als iedereen om twaalf uur naar huis gaat om te eten, moet ik nablijven en het lokaal vegen. Ik moet me alweer haasten. Opa is sacherijnig omdat ik niet op tijd was voor het middageten.

's Middags waarschuwt de meester me een paar keer omdat ik zit te geeuwen. Het doet me allemaal niet veel, daar ben ik veel te moe voor. Na school slaapwandel ik naar de dokter en melk ik Betty. Daarna ga ik naar huis. In de Dorpsstraat komt een auto me achterop. Ik hoor hem wel, ga er zelfs voor aan de kant, maar als hij vlak achter me toetert, schrik ik zo dat ik me verslik. Ik krijg een hoestbui en stoot daardoor met mijn knie tegen de emmer in mijn hand. Melk klotst over de rand. Ik wil kwaad worden op de chauffeur, maar als ik me omdraai zie ik dat het Martens is. Hij buigt zich opzij zodat hij aan de bijrijderskant door het opgeklapte raam kan kijken.

'Kijk aan, de jongen Roossen is alweer op pad. Ging goed hè?'

Ik veeg de tranen uit mijn ogen en knik.

'Zullen we zeggen: dinsdag zelfde plaats, zelfde tijd?'

Niets zeggen is bij Martens hetzelfde als ja zeggen. Hij knikt tevreden.

'Hier.' Hij graait in zijn zak en haalt er geld uit. Ik steek mijn hand naar binnen. Twee gulden. Ik bijt op mijn lip; ik had meer verwacht.

'Niet simmen. Twee gulden in de hand en vijf gulden in de pot. Goed?'

Zeven gulden! Dat is veel meer dan ik had verwacht, maar ik probeer niet te blij te kijken. Dat is slecht als je wilt onderhandelen en daarom kijk ik zuinig.

'We gaan geen kapsones krijgen, hè? Het lijkt me goed betaald voor een lekker stukje wandelen.'

'Nee, nee, zeven is goed.'
'Vijf. Die twee zijn fooi, omdat het de eerste keer was.'
'Zes.'
Martens lacht, maar het is geen vrolijke lach. 'Vijf, en als je meer wilt, moet je dragen. Laat het me maar weten.' Hij gaat weer rechtop achter het stuur zitten en trekt op.
Zeven gulden en een emmer melk, ik ben rijk! Zonder emmer, en als ik niet zo moe was, zou ik huppelen, maar dat past niet bij een gids. Met grote, volwassen passen loop ik het laatste stuk naar huis.

'Van de meester,' zegt Joris. 'Was je vergeten op school.'
Ik pak de brief van hem aan en herken de schaatsletters. Op officiële letters doet de meester altijd extra zijn best: *Aan de verzorgers van Camiel Roossen.* Omdat hij niet dichtgeplakt is, kan ik de envelop openmaken. Het is maar een kort briefje. De meester vraagt om een handtekening van mijn vader of anders van opa voor de aanmelding voor de hbs voor komend schooljaar, en of ze de ondertekende brief snel mee terug kunnen geven. Alsof ik nog niet genoeg aan mijn hoofd heb.
'Ben jij daar, Camiel?' roept opa uit de werkplaats.
'Ja opa, ik kom.' Snel prop ik de brief terug in de envelop. De envelop stop ik onder mijn hemd.
Joris staart me aan. Hij wil wat zeggen, maar ik schud van nee.
'Niks zeggen tegen opa en oma. Ik geef hem zelf wel aan papa. Goed?'
Joris snapt het niet maar knikt.
'Het is een verrassing.'

Ik hoop dat Joris zijn mond houdt, ik hoop dat mijn vader snel genoeg vrijkomt, ik hoop...
'Camiel!'
'Ja opa. Ik kom al.'

Een vergissing

'Martha heeft je zien praten met Martens.'

Ik kijk niet op, laat de pillen een voor een in het potje vallen en probeer de tel niet kwijt te raken.

De dokter kijkt me aan, ik voel het. 'Camiel?'

Nu moet ik hem wel aankijken.

'Pas je op met die man?'

'Ja dokter,' zeg ik. Ik heb het vaker gehoord en daardoor klinkt het alsof ik hem met tegenzin gehoorzaam.

De dokter schudt zijn hoofd. 'Ik moet nu naar Schreurs. Breng jij de recepten rond?'

Ik knik en gaap tegelijk.

'Slaap je slecht?'

Hij moest eens weten. 'Soms.'

'Hm,' zegt de dokter. Hij pakt zijn tas en gaat de deur uit. Inmiddels ben ik de tel kwijt. Ik schud de pillen uit het potje en begin opnieuw.

In de afgelopen weken heb ik Martens drie keer geholpen. Het lopen is nog steeds spannend. Al is het misschien niet zo spannend als de eerste keer, nu ik weet dat ik het kan. Maar juist omdat het tot nu toe steeds goed gegaan is, ben ik bang dat mijn geluk niet kan aanhouden en dat we grenswachters zullen tegenkomen. De laatste keer heb ik ook gedragen: een rugtas die zo zwaar was dat de afdruk van de riemen in mijn schouders nog te zien is. Wat erin zat weet ik niet, maar het leverde me vijf gulden extra op. Tien gulden voor een korte nacht slapen... Ik doe het voor mijn vader en ik weet heus wel dat het stom is, want overdag ben ik te moe om op school goed op te letten, en als ik gepakt word zit ik helemáál in de problemen. Maar voor de mannen die ik de weg wijs ben ik geen kind. 's Nachts in het bos ben ik geen hulpje, zoals bij de dokter of mijn opa. Ik mag ze bij hun bijnamen noemen: Johannes noem ik de Lange en Pieter de Dichter. Ik heb ook een bijnaam gekregen: de Kat. Dat is omdat ik zo stil kan lopen en ook bijna zonder licht de weg nog kan vinden. Zelfs als het echt donker is, zoals donderdag toen het regende, weet ik de weg nog. Martens heeft van mijn bijnaam gehoord en plaagt me ermee. Wil ik in muizen betaald worden of in melk? Zijn stomme grapjes maken me niet uit, want een bijnaam geven ze alleen als je erbij hoort.

'Ben je er nou nog?' vraagt Martha.

'Ik ging net weg.'

Drie bezorgingen zijn het maar, drie potjes en drie recepten. Een halfuur later ben ik weer terug. Ik ga in een stoel in de behandelkamer op de dokter zitten wachten. Ik kan mijn ogen bijna niet openhouden.

'Camiel! Waar ben je!'

Ik schrik op. Heb ik geslapen? De dokter komt de praktijk binnen.

'Wat is dit!' Het is geen vraag. Hij laat me een potje zien en een recept, net zo'n potje als ik zojuist weggebracht heb. Wat moet ik zeggen?

'Ik kom bij Nooten langs, hij komt achter me aan en laat me deze pillen zien die jij net bezorgd hebt, met dit recept. Driemaal daags twee pillen. Weet je wat er dan gebeurt? Nou?'

Hoe moet ik het weten? Híj schrijft de recepten.

'Dan is die koe in twee dagen dood!'

'Maar...'

'Die pillen horen niet bij dit recept. Je hebt de verkeerde gegeven. Je moet lézen. Je gaat nu meteen terug om ze om te wisselen. Nu!'

De moeheid is nu wel in één klap weg. Gelukkig heb ik alleen de pillen van de koe van Nooten met de pillen voor de zeug van De Ruiter verwisseld. Boer De Ruiter heeft ze nog niet gegeven en met een smoesje kan ik de pillen omruilen zonder dat hij kwaad wordt. Bij Nooten gaat het minder gemakkelijk. Hij weet dat ik een fout gemaakt heb. Hij heeft het zelf ontdekt en hij geeft me een eindeloze uitbrander. Als ik gaap, ik kan het echt niet helpen, krijg ik ook nog een klap voor mijn kop. Woedend ben ik dat hij me behandelt als een klein kind, maar ik zeg niets en ga naar de dokter om te vertellen dat ik de pillen heb omgeruild.

'Ik weet niet wat je allemaal aan het doen bent, Camiel, maar ik verwacht dat je híér je hoofd erbij houdt. Begrijp je dat?'

'Ja dokter.'

'Hou op met dat "ja dokter". Als er wat is, moet je het me vertellen. Als je me niks vertelt, ga ik ervan uit dat er niets is en dan verwacht ik je volledige inzet.'

Ik slik mijn 'ja dokter' in en knik met een rood hoofd.

'Nou, zorg dat je de volgende keer goed uitgerust bent.'

En dat is het. De dokter duikt in een boek over schapenziektes en ik ga naar huis. Direct na het eten ga ik naar bed. Niet voor de dokter, maar omdat ik morgen weer moet lopen.

Het lot

We zijn er bijna. We houden even stil aan de rand van het berkenbos voor we de lege strook oversteken die voor ons ligt. Ik gebaar dat ze moeten hurken, waarom weet ik niet. Pieter wil weer overeind komen, maar ik houd hem tegen.

'Ik hoor wat,' fluister ik.

Johannes sist naar de drie andere mannen die deze keer mee zijn.

'Ss!'

Ze doen hun best maar ze maken vreselijk veel lawaai.

'Ss,' sist ook Pieter.

Ik pak zijn arm en wijs. Aan de overkant beweegt wat tussen de bomen. Langzaam knikt Pieter dat hij het gezien heeft. Hij wil Johannes erop wijzen, maar het is al niet meer nodig: aan de overkant van de lege strook springt het licht van een zaklantaren tevoorschijn. Zoekend gaat het langs de boomstammen. Ik ga plat op mijn buik liggen. Een hond blaft. Een van de drie nieuwen schrikt hoorbaar. Takjes breken als hij beweegt.

Het licht scheert langs de bosrand waar we liggen en prikt zoekend tussen de bomen. Nog meer geritsel. Johannes probeert de man naast zich nog tegen te houden maar hij gaat rechtop zitten. Het licht komt terug en vangt hem. Eén tel is het stil, dan begint de grenswacht op zijn fluitje te blazen en begint de hond als een gek te blaffen. De drie mannen springen overeind en rennen terug door het berkenbos. Ik hoor hoe ze zich struikelend uit de voeten maken. De grenswachten zetten de achtervolging in.

‘Staan blijven!’ schreeuwt er een.

Ik blijf liggen en naast me doen Johannes en Pieter dat ook. De grenswachten passeren ons op een paar meter. We wachten tot ook zij door het berkenbos opgeslokt zijn en komen dan overeind. Er is geen reden om terug te gaan; we kunnen verder.

Twintig minuten later zijn we bij het ontmoetingspunt. Ik geef mijn tas aan Pieter en wacht buiten als hij en Johannes naar binnen gaan. In de verte blaft de hond van de grenswachters. Ik hoop niet dat de mannen gepakt zijn, maar als het wel zo is, is het niet mijn schuld. Ze hadden moeten blijven liggen. Johannes en Pieter komen weer naar buiten. Ze hebben allebei drie tassen bij zich; ik krijg er twee. Samen zijn ze lichter dan de tas die ik op de heenweg droeg. Sigaretten, denk ik.

‘Is het veilig?’ vraagt Johannes.

‘We kunnen beter een andere weg terug nemen, maar het lukt wel.’

De terugweg is een stuk langer dan de heenweg. In de verte hoor je af en toe de hond, maar we komen de grenswachten niet meer tegen. Op ons kruispunt geef ik Johannes de tassen.

‘Het was niet jouw schuld,’ fluistert Pieter nog.

Met een knikje neem ik afscheid.

‘Het was niet mijn schuld, dat zei Pieter ook.’

‘Is het dan soms mijn schuld?’ vraagt Martens. Hij blaast een grote wolk sigarenrook uit.

‘Nee, maar...’

‘Maar ik moet het wel betalen?’

‘Als ze gewoon waren blijven liggen... Wij zijn wél gewoon overgestoken.’

'Luister, jochie. Jij moet ze veilig overzetten. Daar betaal ik je voor. Daar betaal ik je vórstelijk voor. Heb je ze veilig overgezet? Je mag blij zijn dat ik je nog wát geef. En nou wegwezen.' Martens draait zich in zijn stoel om en laat me voor het bureau staan.

'Heb je me niet gehoord?'

Ik zeg niets, maar als ik naar buiten stap kan ik me niet meer beheersen en gooi ik de buitendeur met zo'n klap dicht dat ik de ruitjes hoor rammelen. Iedereen heeft me voor Martens gewaarschuwd. Maar ik ben bijna even boos op mezelf als op Martens: omdat ik zo stom ben geweest om naar hem toe te gaan; omdat ik klem zit.

Aan de overkant van de Dorpsstraat komt de pastoor me tegemoet. Hij ziet mij ook en steekt een hand op om me te groeten, of om me te wenken. Snel doe ik alsof er iets te zien is achter het raam van het huis waar ik langsloop. Uit mijn ooghoek zie ik hoe de pastoor zijn hand weifelend laat zakken. Ik wil niet met hem praten en ik heb geen zin om een halve middag te spitten voor een krentenbrood. Maar ik ben vooral bang dat ik me verraad. De pastoor heeft zoveel mensen horen biechten dat hij aan mijn schuldige stem zeker hoort dat ik met verkeerde dingen bezig ben.

Ik doe zo mijn best om niet vooruit te kijken dat ik het bord niet zie dat kruidenier Linders op de stoep heeft gezet. Ik loop er zo tegenaan. Het bord valt om en ik val er bijna overheen. Snel zet ik het weer overeind en steek een hand op om me te verontschuldigen. Mijn wangen gloeien, maar meneer Linders is niet boos. En dan zie ik het affiche op de ruit.

Grote verloting op 1 april. Hoofdprijs 500 gulden en dat is geen grap! Koopt hier uw loten!

500 gulden, dat is genoeg om Martens te betalen, misschien zelfs genoeg om de schuld van mijn vader af te lossen! 500 is genoeg om alles op te lossen, en als ik nu een lot koop ben ik in ieder geval de pastoor kwijt. De pastoor roept naar me, maar tegelijk doe ik de winkeldeur open en het belletje rinkelt. Ik kan altijd doen alsof ik hem door het belletje niet gehoord heb. Ik koop een lot en zoek extra lang naar mijn geld voor ik betaal om er zeker van te zijn dat de pastoor voorbij is als ik weer naar buiten ga. Een lot, mijn lot. Ik steek mijn hand in mijn zak en pak het papiertje vast en prevel weesgegroetjes tot ik thuis ben.

1 april

Hoewel Martens wil dat we snel weer gaan, hebben Johannes, Pieter en ik afgesproken een paar dagen te wachten omdat de grenswachten extra gaan patrouilleren als ze iemand hebben gezien. Misschien denken ze dat het met ons is als met muizen: zie je er één, dan zijn er meer. Maar begrijpen doe ik het niet. Wie gaat er op dezelfde plek proberen over te steken als hij bijna is gepakt?

Woensdagnacht lopen we van half twaalf tot bijna één uur, maar overal lopen grenswachten met honden en Johannes wil het er niet op wagen. Half twee ben ik weer thuis en ik heb niets verdiend. We spreken af dat we het donderdag nog eens proberen. Liever zou ik een dagje overslaan, want op school kan ik mijn ogen bijna niet meer openhouden.

Opa wil dat ik ook moeilijke reparaties ga doen. Hij denkt dat ik het werk dan leuker ga vinden; ik denk dat ik beter nooit aan moeilijke reparaties kan beginnen. Straks lukt het, kan ik het, en dan ben ik pas echt de pineut. Daarom doe ik mijn best niet. En dat ik scheelkijk van moeheid maakt de stiksels er ook niet netter op. Ik lijm een nieuwe zool onder een schoen, mors lijm op de tafel en op de messen en de els die er liggen en op de andere schoen. Ik krijg lijm aan mijn rechterhand en daarom probeer ik met mijn linkerhand het overstekende randje van de nieuwe zool weg te snijden. Vroeger waren er mannen en jongens die hun vingers afsneden om niet in het leger van Napoleon te hoeven vechten. Zonder wijsvinger kan je niet schieten, en als je niet kan schieten hoef je niet te vechten. Een vinger in ruil voor je leven, daar moet ik aan denken als ik uitschiet met het mes omdat het in mijn hand blijft kleven terwijl ik de zool bijsnijd. Ik kijk naar mijn wijsvinger en de diepe snee en even voel ik niets, maar met het bloed komt de kloppende pijn.

Opa komt overeind. Hij lijkt bezorgder om de schoenen dan om mijn vinger, want hij schuift ze snel opzij zodat er geen bloed aan komt.

'Hannes! Hoe kan je nou in je rechterhand snijden?' bromt hij. Uit een la haalt hij een rolletje verbandgaas. Hij kijkt naar de snee en lijkt niet erg onder de indruk.

'Ik moet naar de dokter. Het moet gehecht worden!' zeg ik.

'Welnee. Ga zitten.'

Hij duwt me op de kruk, pakt mijn hand en wikkelt het verband er strak omheen. Met iedere winding duurt het langer voor het bloed het gaas kleurt, en opa gaat door tot het gaas wit blijft. Dan knoopt hij het vast.

'Nou, ga maar even naar boven, ik roep je wel als je kan rondbrengen.'

In de keuken ga ik aan de tafel zitten. Ik houd mijn vinger omhoog zodat ik minder last heb van het kloppen.

'Wat heb je?' vraagt Joris als hij de keuken in komt.

'Gesneden.'

'Diep?'

'Heel diep.'

'Mag ik het zien?'

'Kan niet. Als ik het verband eraf haal valt het topje ervan af.'

'Niet!'

'Ik kan nooit meer goochelen.'

'O. Maar je wordt toch schoenmaker?'

'Kan ook niet meer.'

'Alleen door die vinger?'

'Het is mijn wijsvinger.'

Joris kijkt me bezorgd aan. 'En nou?'

'Kan je wat te drinken voor me pakken. Een glaasje water?'

'Maar ik moet weg. Naar Betty en dan...'

'Alleen even iets inschenken!'

'Je hebt toch nóg een hand,' zegt hij, en hij glipt de achterdeur uit.

Ik ben zielig. Ik ga op de bank in de kamer zitten en doe mijn ogen dicht tot opa roept dat ik de schoenen kan rondbrengen. Zelfs de klanten hebben geen medelijden met me. Alleen mevrouw Scheepers zegt er wat van, maar meer dan 'nou, vervelend hoor' is het niet. Ik ben zielig en niemand ziet het en vanavond moet ik nog lopen ook.

Voor ik ga slapen zoek ik een handschoen om het witte verband te verbergen. Ik zet de wekker en ga vroeg slapen.

Weer lopen we de halve nacht voor niets. We proberen over te steken bij het moeras, bij de vennen en verderop over de oude Romeinse weg, maar overal zijn wachten met honden. We geven het op.

'Camiel! Opstaan! Miel, wakker worden!' Joris staat naast mijn bed en trekt aan mijn arm.

De wekker. Ben ik hem vergeten te zetten? Ben ik erdoorheen geslapen? Ik kom overeind. Joris staat ongeduldig heen en weer te bewegen. Ik dwing mezelf, zet mijn onwillige benen op het koude zeil. Even moed verzamelen en dan gaan staan. De kleren van vannacht liggen op de stoel. Ik trek ze aan en laat alleen de donkerblauwe trui liggen. Dan stommel ik achter Joris de trap af. Joris is sneller en als ik beneden ben, staat hij me op te wachten in de keuken.

'Camiel!' roept opa met krakende stem van boven. 'Wat is er?'

Ik kijk Joris aan. Er is iets.

'Jongens?' roept opa van boven.

Joris grijnst en dan zie ik dat het buiten nog donker is. Ik begrijp er niks van. Joris kan zijn lachen niet meer inhouden.

'1 april!' roept hij op het moment dat hij langs me heen de keuken uit glipt.

Een blik op de klok in de voorkamer (zes uur!) en dan ga ik hem achterna. Halverwege de trap bots ik tegen opa op, die in pyjama de trap af komt.

'Wat doen jullie uit bed?'

'Joris,' hijg ik, 'ik pak hem.'

Opa probeert me nog tegen te houden, maar ik ben hem al voorbij. Joris heeft zijn kamerdeur op slot gedaan. Ik rammel met de deurklink, schop boos tegen de deur. Joris lacht en ik druip af. Met mijn kleren aan ga ik op mijn bed liggen, trek de deken over me heen en val in slaap. Deze keer mis ik de wekker echt en moet oma me wakker maken. Gelukkig heb ik mijn kleren al aan.

Louis zegt dat er bij zijn buurman een kalf met zes poten geboren is. Waarom hij denkt dat ik hem op 1 april wél zou geloven... Twee maanden geleden zag hij het Mariabeeld in het boskapelletje huilen, en dat bleek achteraf ook maar kaarsvet. Fransje doet nog even alsof hij het gelooft, en ook alleen maar omdat hij zelf een 1-aprilgrap heeft, een vaag verhaal over een filmster en een vliegtuig dat een noodlanding moest maken. De meester probeert het nog even met een verrassingsproefwerk maar behalve Louis is er niemand die erin trapt. Ik gaap achter mijn hand en zit mijn tijd uit. Niks kan me nog wat schelen.

Na school, na het melken, kom ik langs de kruidenier. Op de ruit hangt de uitslag van de loterij. Ik peuter het lootje uit mijn zak, ook al weet ik het lotnummer uit mijn hoofd. Vijfhonderd gulden zou alles veranderen en er is niemand die het meer verdient dan ik. Mijn hart klopt in mijn keel als ik het lijstje afga. Van boven naar beneden en dan nog een keer. Ik kan niet geloven dat ik helemaal niks gewonnen heb. Honderd gulden was al goed geweest, dan had ik Martens kunnen betalen, had ik een deel van de schuld van mijn vader kunnen aflossen. Het is heel oneerlijk.

'Met alle respect, maar voor dat geld kan ik het paard erbij kopen. Het is maar een riempje!'

De dokter staat met een rood aangelopen hoofd tegenover opa. Opa haalt zijn schouders op en buigt zich over de schoen op de leest.

'Dag dokter,' zeg ik.

'O, hallo Camiel. Ik...' Hij twijfelt of hij het er met mij over moet hebben. Hij pakt het leidsel van de tafel en ik zie hem twijfelen of hij zal blijven of weggaan.

'Wat is er kapot?'

'Ach, kijk,' zegt de dokter. 'Dit hier is los en deze is ingescheurd. Dat is alles, maar je opa...'

'Zal ik het even doen?'

'Camiel!' roept opa scherp.

'Ik kan het wel.'

'Jij hebt ander werk te doen.'

De dokter loopt terug naar de werkbank van opa, legt het leidsel erop en loopt naar de deur. Hij steekt een hand naar mij op, doet de deur open en denkt na over een laatste opmerking voor opa. Op dat moment komt Martens de treden naar de werkplaats af. Terwijl hij langs de dokter loopt, haalt hij een hand uit zijn jaszak en schiet hij met zijn duim een muntje in de hoed die de dokter in zijn hand heeft. Alsof de dokter een bedelaar is. De dokter kijkt van de hoed naar Martens en weer terug in de hoed. Zijn mond vertrekt tot een streep. Hij pakt het geld uit de hoed en gooit het achter Martens aan door de werkplaats. Dan stapt hij naar buiten en trekt hij de deur met een klap dicht. Martens grijnst naar mij en gaat dan bij opa op de werkbank zitten.

Waar zou het muntje liggen? Het leek een kwartje. Dan zie ik het liggen. Maar opa heeft het ook gezien en terwijl Martens tegen hem praat, steekt hij langzaam een been uit, zet zijn voet op het geld en sleept het onder zijn tafel.

Met mijn tanden op elkaar mopper ik geluidloos op opa, op Martens en op de dokter. Ik maak de schoenen af en ga.

'Camiel!' Het is Martens. 'Wacht even.'

Ik wacht en Martens komt op zijn gemak naar me toe.

'Ik loop even met je op.'

'Ik kan ook wel even bij u langskomen als ik klaar ben...'

'Nee, dat is niet nodig. Luister. Ik maak me zorgen. Ik geef geld uit voor je vader, maar er komt niets binnen. Je lost niet af.'

'We proberen het echt.'

'Ja, dat zal best.'

'Misschien dat we vanavond...'

'Misschien, misschien. Je hebt een behoorlijk bedrag

van me geleend en het wordt tijd dat ik daar wat van terugzie.'

We zijn bij het eerste huis van mijn ronde aangekomen en ik sta stil. Martens begrijpt het.

'Ik wacht hier op je.'

Ik hoop dat ze me binnen vragen, dat ze lang naar het geld moeten zoeken of zelfs dat ze klagen, maar nee, ze betalen gepast bij de achterdeur en binnen een minuut ben ik terug en gaan we op weg naar het tweede adres.

'Hoeveel moet ik terugbetalen?'

'Dat weet ik nog niet precies. Veel, en ik moet ook nog maar zien dat ik dat geld van je vader terugkrijg.'

'Als mijn vader vrijkomt, zal hij het geld zeker terugbetalen.' Terwijl ik het zeg twijfel ik al. Hoe moet hij dat terugbetalen zonder te stelen?

'Weet je wat inflatie is?'

'Nee.'

'Inflatie is dat geld minder waard wordt. Koop je vandaag een brood voor 26 cent, dan kost het over een week 28 en over een maand 30 cent.'

'30 cent!'

'Het is een voorbeeld, maar als je lang wacht met terugbetalen, is dat geld dat ik van je krijg niets meer waard.'

'We betalen ook rente...'

'Ja ja. Een beetje rente, dat is maar net genoeg om de inflatie te dekken. Het zijn moeilijke tijden en ik loop een groot risico nu ik jullie dat geld uitleen. Straks gaan jullie ervandoor.'

Naar de stad, denk ik, of naar Wenen. Het lijkt even een goed idee, tot ik aan Joris denk en aan oma.

'Weet je wat het is? Ik moet óf een soort onderpand hebben, óf je moet het sneller terugbetalen.'

Ik heb geen onderpand. Ik heb een geit en een pot kersen, en Martens weet dat.

'Hoe kan ik sneller terugbetalen als het lopen niet lukt?'

Martens staat even stil, knikt en kijkt alsof hij hard nadenkt.

'Werk je nog voor Roodhart?'

'Twee of drie keer per week.'

Weer knikt Martens. Hij zuigt aan zijn sigaar en begint weer te lopen.

'Ik heb hem gevraagd om me te helpen met mijn paard, Goldmine.'

'Wat is er mis met hem?'

'Hij wint geen races, dát is er met hem. Dat beest is een lui stuk vreten. Ik weet precies wat hij nodig heeft, maar die dokter van jou wil het niet geven.'

'Kruidenpillen?'

'Wat zeg je?'

'Kruidenpillen. Dat hij goed wakker is.'

'Kruiden? Mijn reet! Springstof zal je bedoelen.' Hij haalt een portefeuille uit zijn binnenzak, slaat die open en haalt er een papiertje uit. 'Hier.'

Ik pak het papiertje aan. Met onhandige letters staat er een lang woord op geschreven: nietroonglienseriene 0,5 mg.

'Ik zal het goed met je maken. Jij haalt voor mij dat goedje bij de dokter en ik betaal de advocaat. Nou?'

We zijn aangekomen bij het huis van Peeters. Ik staar naar het vreemde lange woord dat zoveel geld waard is.

'Ik moet verder,' zegt Martens.

'Ik kan het niet doen,' zeg ik. Ik wil hem het papiertje teruggeven, maar hij pakt het niet aan.

'Tsja,' zegt Martens. 'Misschien moet ik dan maar stoppen met het betalen van die advocaat.'

Zou hij het menen? Ik kijk hem geschrokken aan.

'Je vader komt bijna voor. Zou zonde zijn om nu te stoppen.' Hij wijst op het papiertje dat ik nog steeds uitgestoken in mijn hand heb. 'Hou maar bij je.' Dan loopt hij weg.

Ik kan het niet doen. Martens weet niet wat hij vraagt. Nee, dat is niet waar. Hij weet precies wat hij vraagt. Achter het raam van het huis van Peeters beweegt iets. Het is mevrouw Peeters, ze zwaait naar me. Ik steek een hand op, stop het briefje in mijn zak en haal de laarzen uit de mand. Stom dat ik vergeten ben het bonnetje aan te passen.

Een verhaaltje voor het slapengaan

'Hé Miel, waarom goochel je eigenlijk nooit meer?'

'Moet dat nu? Ik ben bezig.'

'Wat ben je aan het doen?'

Ik frommel het papier in elkaar en stop het in mijn zak.

'Heb je een geheim?'

Ja Joris, ik heb een geheim en weet je wat het is? Ons vader is een dief en een oplichter. Jij denkt dat hij aan het goochelen is, dat hij op tournee is in Oostenrijk, maar hij zit in het Huis van Bewaring. Hij is ook nog een smokkelaar en ik moet straks van school. Ik moet schoenmaker worden omdat hij schulden heeft. En nu heb ik zelf ook schulden. Ik zit klem, want Martens wil dat ik voor hem ga stelen. Ik wilde goochelaar worden, maar nu ben ik smokkelaar en straks ben ik misschien zelfs een dief en een bedrieger.

'Miel?'

'Wat?'

'Wat was je nou aan het schrijven?'

'Niks, een soort dagboek.'

'Wil je me een verhaaltje vertellen?'

'Ik weet geen verhaaltje, vandaag niet.'

'Een sprookje dan, of voorlezen. Je hebt Robin Hood ook nog niet af.'

'Ik weet niet meer hoe dat afloopt. Een sprookje, goed?'

'Een beetje eng dan, maar wel dat het goed afloopt.'

'Sprookjes lopen altijd goed af, Joris.'

'Mooi. Ik kom zo terug, even mijn tanden poetsen.'

Diefstal

'Als iedereen nou van mijn spullen zou afblijven...!'

De dokter graaft op het bureau tussen de papieren, de boeken en de tijdschriften. Hij pakt een stapel, kijkt eronder.

'Waar heeft u hem het laatst gezien?'

De dokter kijkt me vuil aan. 'Zeg lummel, je bent mijn moeder niet.'

'Ik bedoelde, wanneer hebt u het laatst moeten hechten?'

De dokter laat de stapel papier met een klap op het bureau vallen. 'Donderdag, woensdag... de hond van... die herder.'

Ik denk sneller dan de dokter. Het was de hond van Leenders en het was woensdag, en woensdag.... ik loop naar de kapstok. Woensdag regende het, alleen woensdag! Ik vind het etuitje met naalden in de binnenzak van de regenjas.

'Ik heb ze!'

De dokter pakt het etui van me aan en maakt het open alsof hij nog twijfelt, maar als hij de naalden erin ziet zitten, knikt hij en stopt hij het etui in de binnenzak van zijn jasje.

'Bedankt,' mompelt hij. 'Dan ga ik maar.'

'Zal ik anders een beetje opruimen?'

De dokter kijkt de praktijk rond. Zijn blik dwaalt door de kamer, die eruitziet als een kruising tussen een werkplaats, een bibliotheek en een rommelhok.

'Maar niks weggooien!'

'Ik gooi niks weg, ik ruim alleen op.'

'Je gooit niks weg en je haalt Martha er niet bij.'

'Dat beloof ik.'

Nu is de dokter gerustgesteld en kan hij weg.

Ik begin met de vaat: een dienblad vol vuile borden, bekers, glazen en kopjes. Daarna komen de kleren die in de praktijk rondzwerven. Twee jasjes, een broek met een enorme scheur en vier sokken. Ik breng ze naar de bijkeuken.

'Wat is dat?' wil Martha weten.

'Kleren van de dokter. Ik denk dat ze...'

'Ja ja. Leg daar maar neer.'

Snel ga ik terug naar de praktijk en doe de deur achter me dicht. Nu de boeken. Bij de meeste boeken kan ik zien waar ze horen. De boekenkast ziet eruit als het wisselgebit van Joris.

Ik zet de wankele stapels papieren recht door de spullen die erin verdwaald zijn eruit te halen. Een gedroogd apenhandje, een vestzakhorloge, een leesbril, een vulpen. De opgezette uil gaat op de kast, het kattenskelet zet ik ernaast. De pillenkast is open en daarom kan ik de potjes en flesjes die op het bureau staan terugzetten. Dan zie ik een potje met een naam die me bekend voorkomt. *Nitroglycerine 0,5 mg.* Ik haal het papiertje van Martens uit mijn zak en vergelijk de naam. Het moet hetzelfde zijn. Een potje tussen honderden andere. Twaalf planken, dertig of veertig potjes per plank, veel met vaal geworden etiketten.

Het glas is koud en het zit ongeveer halfvol met pillen. Ik zet het terug en haal diep adem. Dan pak ik het weer en stop ik het in mijn zak. Snel doe ik de kast dicht, ga naar buiten en groet in het voorbijgaan Martha, die in de bijkeuken hoofdschuddend de kapotte broek bekijkt. In de keuken pak ik mijn emmer melk en ga ervandoor. Bij iedere stap die ik doe, springen de pillen in het potje. Dief, dief, dief tikken ze.

Weggestuurd

De pillen heb ik vannacht onder mijn matras gelegd. Ik durfde ze niet in mijn jaszak te laten zitten omdat ik bang was dat opa ze op een of andere manier zou vinden. Het is maar een klein flesje en ik ben de prinses op de erwt niet; toch duurde het heel lang voor ik sliep. Vanmorgen heb ik ze snel in mijn jaszak gedaan en later, op school, heb ik ze in mijn broekzak bewaard. Direct na school ga ik naar Martens.

'Meneer komt zo, ga daar maar zitten.'

Janine wijst op de stoel tegenover het bureau van Martens. Ik ga op de stoel zitten die ze me gewezen heeft, zet mijn emmer eronder en wacht. Iedere keer als ik beweeg, voel ik het potje in mijn zak. Mijn hart stampt.

De kamer lijkt op Martens. Het enorme bureau met de grote leren stoel erachter, de boekenkast met de rijen bruinleren pronkboeken. De opgezette zwijnenkop aan de ene en de hertenkop aan de andere muur en de klok die eeuwig op tien over tien staat. Een deur gaat open en dicht. Iemand komt aanlopen; ik houd mijn adem in. Martens doet de kamerdeur open, een snel lachje trekt over zijn gezicht als hij me ziet. Hij loopt om het bureau heen en laat zich in zijn stoel zakken.

'Zo,' zegt hij. 'De jongen Roossen. Hoe gaat het vandaag met je?'

'Goed,' zeg ik, 'dank u.'

'Mooi,' zegt Martens. Hij trekt een bureaulade open en

haalt er een sigaar uit en een knippertje, waarmee hij aandachtig het topje van de sigaar knipt. Pas als hij de sigaar aangestoken heeft en de eerste rook uitblaast kijkt hij me weer aan.

'Heb je ze?'

Ik durf niet te bewegen, bang dat het geluid van de pillen me verraadt.

'Ik doe het niet,' zeg ik.

Martens buigt zich langzaam voorover.

'Ik doe het niet,' zeg ik nog een keer, want ik weet niet of hij me verstaan heeft.

Martens knijpt zijn ogen bijna dicht.

'Je hebt ze dus niet?'

Ik schud voorzichtig mijn hoofd.

'Ik zou natuurlijk kunnen vragen waarom je ze niet hebt,' zegt Martens, 'maar ik zal je eerlijk zeggen: dat interesseert me geen ene moer. Kijk me aan!'

Ik kijk op van mijn schoenen, kijk door de rook heen in het gezicht van Martens.

'Denk je dat je een keus hebt?' Zijn stem is zacht als het grommen van een valse hond.

Ik zeg niets en zet me schrap.

'Je gaat vanmiddag naar die dokter van je en je haalt die pillen, begrepen?'

Ik schud weer langzaam mijn hoofd.

'Je begrijpt toch wel dat dit gevolgen voor je vader heeft? Geen pillen, geen advocaat.'

'Maar ik ga het van de week weer proberen met Johannes en Pieter...'

'Ja, dat is je geraden. Dat staat hier helemaal los van.'

'Ik kan stallen schoonmaken.'

'Daar heb ik al iemand voor. Die pillen, dáár heb ik jou voor nodig.'

'Maar ik doe het niet,' zeg ik. Mijn stem kraakt.

'Nou, donder dan maar op.' Hij gaat staan en leunt over het bureau. 'DONDER OP!'

Ik spring overeind en in een paar stappen ben ik in de gang en schiet ik de voordeur uit. Achter me hoor ik Martens, maar verder dan de voordeur gaat hij niet. Met een zwaai gooit hij de emmer achter me aan en knalt de deur dicht.

Betty is wél blij om me te zien. Ik denk dat ze voelt dat ik bijna moet huilen. Na het melken ga ik door de keukendeur naar binnen. Martha komt uit de voorkamer; ze heeft sigaretten van de dokter gerookt, dat ruik ik.

'De dokter is er niet,' zegt ze.

Dat wist ik al, denk ik, maar ik zeg 'o'. Even staan we tegenover elkaar, wachtend.

'Ik moet even wat...' Ik wijs in de richting van de praktijk.

Martha zucht en loopt de keuken uit.

De praktijk ziet er, een dag nadat ik opgeruimd heb, nog steeds netjes uit: geen kleren, geen vieze borden of kopjes, en alle boeken staan nog in de kast. Voorzichtig, zonder geluid, probeer ik de pillenkast open te maken. Op slot! Voor ik opgeruimd had kon ik de pillen gewoon ergens neerzetten, maar nu vallen ze meteen op. Ik moet de sleutel vinden. Mijn hart klopt in mijn keel; ik voel me een inbreker. Ik trek laden van het bureau open en zoek tussen de rommel, maar vind niets. Even overweeg ik om de pillen tussen de troep in de la te stoppen en ze later, als ik weet waar de sleutel is, terug te zetten, maar ik durf het niet. Dan vind ik de sleutel in een potje met potloden. Snel doe ik de kastdeur open, haal het potje pillen uit mijn zak en zet het terug.

'Martha?' Het is de dokter. Hij is in de keuken.

De kastdeur wil niet op slot, ik krijg de sleutel er niet uit.

'Martha?'

Hij komt eraan! Een duw, dan draait de sleutel in het slot, kan ik hem eruit krijgen. In twee stappen sta ik bij het bureau en zet de sleutel terug in het potlodenpotje. Ik draai me om. In de deuropening staat Martha naar me te kijken.

'Daar ben je,' zegt de dokter als hij haar ziet. Hij volgt haar blik en dan ziet hij mij staan. 'O, hallo Camiel.'

'Dokter, heeft u even?' vraagt Martha.

'Nu?'

'Ja, het is belangrijk.' Ze trekt de deur van de praktijk dicht. Ik hoor ze praten maar versta ze niet. Rustig ademen: de pillen staan in de kast, de deur zit op slot en de sleutel ligt waar hij lag.

Dan gaat de deur open. De dokter komt naar binnen, een frons op zijn gezicht. Martha kijkt over zijn schouder mee; ze is net een kind dat toekijkt bij een vechtpartij op het schoolplein. De dokter houdt zijn hand op, maar ik begrijp niet wat hij wil.

'Geef maar,' zegt hij.

Ik schud mijn hoofd en laat mijn handen zien. Ik heb niks.

'Martha heeft je gezien.'

'Ik heb echt niks,' zeg ik.

'Hij heeft ze natuurlijk teruggezet toen we aan het praten waren.'

Mijn hoofd wordt rood. 'Niet waar,' zeg ik.

'Heb je iets uit de kast gehaald?'

'Nee.'
'Hij liegt, ik heb het zelf gezien.'
'Ik lieg niet. Ik heb iets teruggelegd.'
'Wat zei ik?'
De dokter steekt een hand op. 'Wacht even. Je hebt iets teruggelegd. En had je dat niet uit de kast gehaald?'
'Jawel. Maar niet net. Niet vandaag.'
Martha schudt ongelovig haar hoofd.
'Camiel, heb je pillen uit de kast gepakt?'
'Gisteren. Ik had ze gisteren meegenomen, maar ik wilde het niet en toen heb ik ze vandaag weer teruggebracht. Het spijt me.'
'Wat, waarom had je ze meegenomen?'
Ik kan het niet zeggen. Ik kijk naar de grond
'Voor Martens?'
Hoe weet hij dat? Ik kijk op en ik zie dat mijn reactie me verraden heeft.
De dokter haalt zijn horloge uit zijn zak, klapt het open en kijkt erop. 'Ik moet weg, ik kwam alleen iets ophalen. Ik heb nu geen tijd.'
'Dokter, het spijt me echt. Ik had...'
De dokter kijkt me aan. Hij lijkt niet eens boos, eerder in gedachten. 'Niet nu. We hebben het er nog wel over.' Hij stapt opzij om me voorbij te laten.
Met gebogen hoofd loop ik langs de dokter, langs Magda. De gang door, de keuken uit, de deur uit. De tweede deur waar ik vandaag buitengezet word.

Een diagnose

En nu? Waar kan ik heen? Het hek uit, zonder nadenken linksaf, als een postduif. Maar ik wil niet naar huis. Ik draai om en loop terug, langs het huis van de dokter en dan verder, en ook al loop ik niet hard, mijn hart klopt in mijn oren en ik adem alsof ik gerend heb. Rustig! Ik kan blijven lopen, maar als ik niet weet waarheen, kom ik straks zomaar ergens terecht. Denk na! Niet naar huis, niet naar de dokter. Niet naar... Het is afstrepen. Zo doet de dokter het ook bij zieke dieren. Als alles weggestreept is, blijft het antwoord over. Niet naar huis dus, want ik wil opa en zijn schoenen nu niet zien. Niet naar de dokter. Mijn keel is droog en in mijn neus prikken tranen. Niet meer naar de dokter. Niet naar Martens, want die wil me alleen zien als ik de pillen meebreng. Ik kan bij de pastoor langsgaan, maar ik ben te moe om in de groentetuin te werken. Langs Fransje of Louis, een uurtje kan, maar dan? Het bos? Door de tochten met Johannes en Pieter en door Martens is het bos ook verpest. Het doet me denken aan geld en aan mijn vader. Geen pillen, geen advocaat. Geen advocaat... Ik wil niet huilen, maar het gebeurt toch.

Aan de overkant komen twee kinderen me tegemoet. Anton en een van zijn broertjes. Anton trekt een karretje. Ik denk dat ze jam proberen te verkopen, maar niemand die ooit een pot van ze gekocht heeft, waagt zich aan een tweede. Ik heb altijd een beetje medelijden met Anton, maar vandaag niet. Vandaag ben ik zieliger. Ik houd even in, wacht tot ze bij een huis aanbellen en loop dan snel voorbij. Sommige mensen voelen zich beter als het slecht met iemand anders gaat. Ik zou Anton vandaag heel blij kunnen maken, maar ik gun het hem niet. Wat blijft er over? Ik ben het dorp bijna uit. Links: met een omweg terug naar huis. Rechts: het dorp uit, naar de rivier. Als alles is weggestreept, blijft alleen de oplossing nog over.

De pont en de brug

Straks neem ik de pont en daarna loop ik naar de stad. Of ik ga liften. Ik ga bij mijn vader langs en vertel hem alles. Ik heb het geprobeerd. Ik heb gewerkt, mijn speelgoed verkocht. Ik heb zelfs gesmokkeld. Alles wat nodig was, behalve die pillen. Misschien zou ik zelfs stelen als het moest, maar niet van de dokter. En nadat ik bij mijn vader geweest ben, ga ik naar meneer Henri en ik vraag of ik voor hem mag werken. Er is genoeg te doen in het theater en ik hoef niet veel te verdienen.

Het huisje van oude Jos is het laatste van het dorp; daarna is het nog een halfuur lopen tot de pont. Als ik flink doorloop ben ik er om kwart over vijf. De wind fluistert door de kleine blaadjes aan de bomen, een ekster roept dat ik eraan kom. Mijn voetstappen klinken hard en eenzaam op de lege weg. Ik kijk over mijn schouder naar het dorp. Heel even maar, want ik ben bang dat ik anders niet verder kan.

Het is oneerlijk. Had ik de pillen aan Martens gegeven, dan was alles goed gegaan. De dokter zou ze niet eens missen. Waarom word ik gestraft als ik het goed probeer te doen? De pastoor zou er vast een mooi verhaal voor hebben. Over Job of iemand anders die het zwaarder heeft dan ik, maar ik ben een kind en ik heb het niet verdiend. En ik ben de melk ook nog vergeten. Opa zit nu vast nors naar de klok te kijken en zich af te vragen waar ik blijf. Hij mag het zelf doen vandaag, morgen, altijd. Ik trek mijn pet wat dieper over mijn gezicht en steek mijn handen in mijn zakken. Ik ben er bijna. Nog één bocht en je kan de rivier zien.

De pont ligt aan de oever, maar de klep is omhoog. Aan de overkant staat een sjees. Het paard eet gras uit de berm; de drijver is van het rijtuig geklommen en loopt onrustig heen en weer.

'Hallo?' Ik zie niemand, maar hoor dat er mensen zijn op de pont. 'Hallo?'

Een hoofd steekt uit de deuropening van het stuurhuis. 'We hebben pech. Het kan nog wel even duren.'

'O. Hoe lang ongeveer?'

'Een uur, misschien langer. We doen ons best. Je kan ook de brug nemen.'

'Dat is meer dan een uur lopen!'

'Je kan ook wachten.'

Het hoofd verdwijnt weer. Ik ga in het gras zitten, een stukje verderop. Het gras is droog maar koud. Een uur wachten, dan ben ik nooit voor het donker in Waesdrecht. Of ik moet het geluk hebben dat een vrachtwagen me meeneemt, net als de vorige keer. Weet ik de weg nog naar meneer Henri? Vanaf het plein met de bussen lukt het me wel, maar als ik op een andere plaats de stad in kom, en in het donker... Ik kan ook hier blijven. Terug naar opa, die kwaad is omdat ik de schoenenronde niet heb gedaan. Naar oma, ook boos omdat ze het altijd met opa eens is. Naar Martens, die boos is, nee woest. De dokter, die boos is of teleurgesteld. Als er vanavond een voorstelling is, kan ik tot heel laat bij meneer Henri langsgaan, en overal in de stad is licht en er zijn altijd mensen die de weg weten.

Aan de overkant is de man op het rijtuig geklommen. Het keert en verdwijnt achter de dijk. Wat zal de meester zeggen als ik er morgen niet ben, en wat zullen Fransje en

Louis denken? Zullen ze me missen? En hoe lang? Zijn ze me over een paar dagen vergeten en denken ze dan alleen nog maar aan me als ze kapotte schoenen hebben? Wie ga ik missen? Papa niet, want als ik in de stad ben kan ik elke dag even langs. Dan zie ik hem zelfs vaker dan normaal. Maar Betty, die zal ik wel missen. En Joris natuurlijk. Het steekt in mijn buik als ik aan hem denk – en ik ben nog niet eens de rivier over. Zonder een verhaaltje kan hij niet slapen. Zal hij boos op me zijn? Opa ga ik niet erg missen, maar oma en het getik van haar breipennen wel. En ook al zijn Fransje en Louis me volgende week al vergeten, ík vergeet hén nooit, en de dokter... Ik bijt op mijn lip; niet huilen! Als het kon zou ik blijven, maar het kan niet.

'Volk!'

Zonder dat ik het gemerkt heb, is er iemand aan komen lopen. Hij staat nu waar ik net ook stond, voor de opstaande klep van de veerpont. Daar komt het hoofd weer.

'Ook goedemiddag. U zult even geduld moeten hebben want we hebben pech.'

'U bedoelt?'

'Dat de pont niet varen kan.'

'Ja, dat deel begreep ik, maar hoevéél geduld moet ik hebben?'

'Geduld kan je nooit te veel hebben, hè.'

De man lijkt het antwoord van de veerman niet erg leuk te vinden. Hij haalt zijn neus op en tuft naast zich op de grond.

'Ik weet niet hoeveel tijd het nog kost,' zegt de veerman. 'Een kwartier, een uur...'

'Een uur!'

'U kan ook de brug nemen.'

'Dat is ook een uur! De man spuugt weer op de grond,

denkt erover nog iets te zeggen maar bedenkt zich en loopt hoofdschuddend weg.

'Je kan ook wachten', dat zei de veerman tegen mij en hij heeft gelijk. Ik hoef niet vandaag weg te lopen. Ik kan ook morgen gaan. Het is een nieuwe gedachte en ik word er blij van. Ik kan morgen gaan, of overmorgen, of helemaal niet. Ik kan morgen naar de dokter gaan en het uitleggen, en als hij me niet gelooft of niet wil luisteren, dan kan ik alsnog naar de stad gaan. Ik kan opa vragen om een handtekening voor school en als hij hem niet geeft, dan pak ik mijn spullen en vertrek ik. Ik ga naar Martens en zeg dat ik stop met smokkelen, want als ik ermee doorga, dan kán ik niet eens naar de hbs, zelfs al heb ik een handtekening. En zegt hij nee, dan ga ik en kom ik niet meer terug. En nu ga ik naar huis.

Ratelend gaat de klep van de pont omlaag.

'Zo,' zegt de veerman. 'Gemaakt hoor. Moet je nog naar de overkant?'

'Nee,' zeg ik, 'vandaag niet.'

Joris zit aan de keukentafel vla te eten. Hij kijkt pas op als ik de keukendeur opendoe.

'Camiel!'

'Hallo Joris.'

'We hebben al gegeten.'

'Camiel, ben jij dat?'

'Ja oma.'

Oma komt de keuken in. 'Waar was je?'

'Weg.' Nou ja, bijna weg.

'Zeg, je kan wel brutaal gaan doen, maar ik kan je wel zeggen dat opa héél erg boos is.'

'De schoenen?'

'Ja, de schoenen. Hij heeft het allemaal zelf moeten doen.'

'Het spijt me.'

'Dat mag je hem zelf vertellen als hij thuiskomt van biljarten.'

'Wil je wat eten?' vraagt Joris.

'We hebben gegeten,' zegt oma.

Joris brengt me nog een paar gedroogde stukjes appel. Ik kleed me uit en probeer te slapen. Opa komt pas laat thuis. Hij stommelt de trap op en doet mijn kamerdeur open, maar ik doe net of ik er niet wakker van word. Even staat hij in de deuropening te twijfelen of hij me wakker gaat maken, maar dan doet hij de deur dicht en gaat hij naar beneden. Nog een paar uur uitstel.

Mijn besluit

Voor ik naar beneden ga, haal ik een keer diep adem. 'Ik word geen schoenmaker, ik word geen schoenmaker, ik word geen schoenmaker,' prevel ik op de trap naar beneden. Eén blik op het norse hoofd van opa achter zijn bord pap is genoeg om me tot andere gedachten te brengen. Vanochtend is misschien toch niet het beste moment om te zeggen dat hij maar een andere leerling-schoenmaker moet zoeken. Vanmiddag, na school, dan zeg ik het. Nu zeg ik alleen dat het me spijt dat hij de schoenenronde alleen moest doen.

'Heb je de brief al aan de meester gegeven?' vraagt Fransje. Hij heeft me na afloop van school opgewacht bij het hek. Ik moet naar Martens en kan hem daarom niet ontlopen.

'Nog niet. Maar ik ga het wel doen.'

'Dan kunnen we straks samen naar de middelbare lopen. Waar moet je nu heen?'

'Naar Martens.' Ik had erover kunnen liegen, maar ik heb er geen zin in. Ik verwacht een vraag of een opmerking, maar Fransje knikt alleen maar.

'Je bent je emmer vergeten.'

'Die staat nog bij de dokter.'

We lopen naast elkaar en na een tijdje gaan onze benen bijna gelijk. Ik weet niet of ik nou met kleinere stappen ben gaan lopen of Fransje met grotere, maar het is een fijn geluid. Minder eenzaam.

'Succes met Martens,' zegt Fransje bij het hek. Deze keer loopt hij door.

Ik steek het grind over naar de voordeur en trek aan de bel.

Janine kijkt me verveeld aan. Ze klopt op de deur van Martens en ik doe mijn pet af.

'Ja,' bromt Martens.

Ik haal diep adem en stap de kamer in. Martens zit achter zijn bureau geld te tellen. Als ik binnenkom steekt hij de biljetten in een envelop en stopt die in de lade van zijn bureau. Dan kijkt hij me met een kleffe grijns aan.

'Zo, daar ben je weer. Wat drinken?'

Ik ben zo verbaasd dat ik alleen maar nee kan schudden. Wat is er gebeurd? Wat is hij van plan? Nee. Stop met nadenken, zeg het. Ik haal diep adem en begin.

'Meneer Martens, ik moet u iets zeggen.'

Martens gaat achteroverzitten met een klein griezelig glimlachje op zijn gezicht.

'Toen mijn vader... toen mijn vader opgepakt was, wilde ik hem helpen. Maar ik had niet naar u toe moeten komen. Ik ben geen smokkelaar.'

Martens zit me nu echt uit te lachen en ik voel de kwaadheid in me opgloeien.

'Ik ben géén smokkelaar, ik zit op school en ik wil geen dief zijn. Ik hoop dat u mijn vader nog wilt helpen en ik zal sparen om alles terug te betalen. Maar ik ga niet meer voor u werken en...'

Martens steekt een hand op. 'Voor je verder bla-blaat... Je bent blijkbaar nog niet thuis geweest.'

Wat bedoelt hij?

'Er is het een en ander veranderd. Je vader komt vrij.

Afgelopen zaterdag heb ik een vriendschappelijk gesprekje gehad met het zogenaamde slachtoffer. Ik heb hem ervan overtuigd dat het beter voor hem was om de aanklacht in te trekken. Maandag is hij bij de politie geweest en het is geregeld. Geen aanklacht, geen rechtszaak.'

Geen rechtszaak. Mijn vader komt vrij! Ik kan het bijna niet geloven. *Wanneer* wil ik vragen, maar dan dringt het tot me door. Zaterdag, maandag. Maandag pikte ik de pillen en Martens wist dat ik het voor mijn vader deed.

'Waarom moest ik die pillen dan nog stelen?'

'Je had geld van me geleend. Ik probeerde je te helpen.'

'Helpen? Dokter Roodhart is een vriend!'

'Ja ja, dat is duidelijk. Als je liever aan de dokter terugbetaalt dan aan mij, vind ik dat prima. Mij maakt het niks uit.'

Ik begrijp de woorden, maar niet wat ze samen in één zin doen. 'Wat moet ik de dokter terugbetalen?'

'Ik neem aan dat je het terug moet betalen.' Hij kijkt me aan, ziet mijn glazige blik. 'Verrassing?'

Ja, knik ik.

Martens gaat weer achteroverzitten en trekt de la van het bureau open. Hij haalt de envelop eruit en houdt die omhoog. 'Vanmorgen kwam jouw dokter langs en hij betaalde je schuld.' Martens gooit de envelop terug in de la en schuift hem met een klap weer dicht. 'Jouw schuld en die van je pa: 484 guldentjes, handje contantje.'

Mijn mond valt open en het duurt even voor ik begrijp wat hij gezegd heeft. En dan, als de betekenis me plotseling zo duidelijk wordt als de oplossing van een raadsel, als ik zie hoe alles hierdoor verandert, dan schuif ik mijn stoel achteruit en sta ik op. Mijn hart bonst in mijn keel.

'Ik zou nog even nadenken over het smokkelwerk. Het is een leuk zakcentje.'

Zonder antwoord te geven draai ik me om en loop ik de kamer uit, de voordeur door, het grindpad over en het tuinhek uit. Zonder omkijken. Ik kom hier nooit meer terug.

Ik ren de hele weg naar de dokter, en pas bij het tuinhek houd ik in. Ik haal een paar keer diep adem, wacht even tot mijn hart niet meer in mijn keel klopt en loop dan achterom. Betty mekkert naar me, maar ik heb geen tijd voor haar. Ik stap de keuken binnen, veeg snel mijn voeten en loop meteen door. Martha staat in de bijkeuken. Ze steekt haar hoofd om de hoek van de deur.

'Dokter!' Martha klinkt als een klikspaan. Ze kan me toch niet tegenhouden.

De dokter zit achter zijn bureau. Hij doet zijn bril af en kijkt me aan. Ik probeer wat te zeggen maar ik heb een brok in mijn keel. Dan begin ik te huilen. De dokter staat op en komt naar me toe lopen. Hij staat een beetje onhandig tegenover me terwijl ik mijn tranen in probeer te slikken.

'Nou nou. Ga maar even zitten.'

Hij loopt de praktijk uit en ik hoor hem in de keuken. Dan komt hij terug met een glas water. Ik neem een slokje maar begin weer te snikken, en dat wil ik helemaal niet. Diep ademhalen.

'Ik kwam om u uit te leggen hoe het zat met de pillen, maar ik was eerst bij Martens en die zei... Ik zal het allemaal terugbetalen en ook voor mijn vader...'

De dokter gaat op zijn bureaustoel zitten. 'Wacht even, Camiel.'

Ik neem een slokje water en wacht op wat er komen gaat.

'Luister. Toen ik doorkreeg dat je voor Martens werkte, schrok ik heel erg. Martens is een parasiet, die denkt alleen aan zichzelf. Ik vroeg me af waarom je naar die vreselijke man gegaan was en ik wist dat er een reden moest zijn. Daarom ben ik naar Martens toe gegaan en heb ik hem gevraagd hoe het zat. Hij vertelde over je vader. Weet je nog, die keer dat ik niet naar Smaans wilde gaan? Er was iets met een geit, met jouw geit, maar ik had Smaans al heel vaak gewaarschuwd. En toen zei jij dat de geit er niets aan kon doen en dat ik daarom Smaans nog een kans moest geven.'

De dokter pakt mijn glas en neemt er een slok uit.

'Nu was jij de geit en als ik jou wilde helpen, moest ik je vader ook helpen.'

'484 gulden...'

'Ja, dat is veel geld. Ik wil dat je iedere week twee middagen komt helpen. Je krijgt er geld voor, maar ik houd het in om de schuld te betalen. En ik wil vrijkaartjes voor de optredens van je vader.'

Nu moet ik alweer huilen, maar het zijn andere tranen. Warm lopen ze over mijn wangen.

'En je werkt nooit meer voor Martens. Dat moet je beloven.'

Ik kan niks zeggen, mijn keel zit vol tranen, maar ik kan wel glimlachen en knikken.

'Nou, neem een slok. We hebben werk te doen.'

'Camiel! Papa komt thuis!' Joris staat me in de keuken op te wachten. Hij wappert met een brief.

Ik doe alsof ik verbaasd ben. 'Wanneer?'

'Vrijdag of zaterdag al! Er is ook een brief voor jou en opa en oma. Opa heeft hem.'

Snel ga ik de trap af. Opa heeft me al gehoord. Met een knikje wijst hij naar de envelop op de werkbank. Het is een kort briefje. De aanklacht is ingetrokken en als het papierwerk gedaan is, kan mijn vader naar huis.

Het is goed nieuws met een bijsmaak. Dat hij er niet voor gestraft wordt, betekent niet dat mijn vader het niet gedaan heeft. Alles had mis kunnen lopen, en dat het per ongeluk goed afloopt maakt me niet minder boos op hem.

'Goed nieuws,' bromt opa.

Ja, het is goed nieuws. Vrijdag is mijn vader terug, ik heb de handtekening voor school van opa niet meer nodig.

'Ik zou maar beginnen, het is behoorlijk wat vandaag.'

Nog een paar dagen. Omdat ik nu weet dat het niet voor de rest van mijn leven is, doe ik zonder tegenzin mijn schort om en ga aan het werk.

De boom

Mijn vader komt met de bus van kwart over vier. Ik zou hem op het Kerkplein op de bank bij de bushalte kunnen opwachten, als een lieve zoon die zijn vader na een lange reis komt ophalen. Ze zouden met een glimlach naar me kijken, de vrouw van de bakker en die van de koster.

Ik zou Joris kunnen meenemen en dan zouden we samen op het bankje zitten en dat zou het nog mooier maken. En als Joris de tekening zou meenemen die hij gemaakt heeft met *Welkom thuis* erop zouden we krentenbollen krijgen van de bakkersvrouw en tranen van die van de koster. Maar ik ga niet. Ik wacht hem niet op. De dokter mag dan vinden dat iedereen een tweede kans verdient, dat wil nog niet zeggen dat ik niet boos mag zijn. Het is allemaal zijn schuld en als ik hem ga zitten opwachten, lijkt het net of ik hem alles vergeef.

Na school, na Betty, ben ik naar mijn boom gegaan, met het touw omhoog geklommen en nu zit ik op een tak met mijn rug tegen de stam. Vanhier kan ik de kerk zien. Niet het plein of de bus als die aankomt, maar dat maakt me niet uit. Ik zie mijn vader vanavond wel. Ik laat hem wachten zoals hij mij heeft laten wachten.

Vier keer slaat de kerkklok. De bus moet nu ongeveer bij de rivier zijn. Als ik straks thuiskom doe ik net alsof het heel normaal is dat hij er weer is. En dan ga ik naar boven en wacht ik tot hij naar mijn kamer komt, en dan zeg ik wat ik bedacht heb. Alles waar ik boos over ben en dan wat hij moet doen, en ik luister pas naar hem als ik helemaal uitgepraat ben.

Normaal vergeet ik de tijd als ik hier ben en heb ik genoeg aan de geluiden van het bos en aan wat er om me heen te zien is, maar vandaag kan ik niet stilzitten. Ik had een boek moeten meenemen en een kussen. Zou hij al thuis zijn? Zou hij in de keuken zitten met Joris op schoot of in de werkplaats?

Een sperwer roept, een paar eksters antwoorden. De kerkklok slaat één keer om half vijf en later vijf keer, en dan hoor ik iemand dichterbij komen. Hij komt deze kant op, maar door de bladeren kan ik niet zien wie het is. Maar ik weet het wel en hij weet dat ik hier zit, want hij komt recht op mij af. Als hij onder de boom staat kijkt hij omhoog. Hij houdt een hand boven zijn ogen tegen de zon die al laag staat; als dat niet helpt stapt hij opzij.

'Hallo Camiel.'

'Hoe wist u dat ik hier was?'

'Probeer je me te ontlopen?'

'Ik kom zo hoor.'

'Zal ik omhoogkomen?'

'Best,' zeg ik, want hij doet het toch niet.

Mijn vader pakt het touw en begint onhandig omhoog te klimmen. Bovenaan laat hij met één hand het touw los om de tak te pakken. Je moet natuurlijk je voeten op de knoop zetten, maar dat doet hij niet. Even hangt hij als een orang-oetan aan één arm; dan valt hij naar beneden en belandt hij met een plof op de grond. Mijn vader kreunt en daarom weet ik dat er echt wat is.

'Gaat het?'

'Nou... Mijn enkel.'

'Wat?'

'Geef me even, het zal wel meevallen.'

Ik klim naar beneden. Mijn vader is tegen de stam gaan

zitten. Eén been heeft hij opgetrokken, het andere ligt uitgestrekt.

'Gaat het?' vraag ik.

'Ben je boos op me?'

'Niet omdat u niet kan klimmen.'

'Het is toch allemaal goed afgelopen?'

Dat had hij niet moeten zeggen. Ik word er zó boos van, dat alles wat ik vanavond had willen zeggen er tegelijk uit wil komen.

'Het is nog helemaal niet afgelopen! Weet u wat ik allemaal moest doen? Als ik geen handtekening krijg mag ik niet naar de middelbare en van opa moet ik schoenmaker worden en ik heb heel veel geld geleend en ik heb alles wat ik had verkocht en ik had ruzie met de dokter...'

'Ho! Wacht. Geld geleend?'

'Ja, want u had geen goede advocaat en Henri had geen geld, en toen ben ik naar Martens gegaan en hij heeft me geld geleend.'

'Wát heb je gedaan?!'

'Wat heeft ú gedaan! Ik heb gewerkt, ik had bijna dingen gedaan waar ik spijt van heb.'

Mijn vader schudt langzaam zijn hoofd. Hij ziet bleek.

'Ik wil geen schoenmaker worden en ik wil dat u weer gaat goochelen.'

'Maar jongen. Het geld dat je moet terugbetalen aan Martens...'

'Niet aan Martens. Aan dokter Roodhart.'

Vader kijkt me aan; hij begrijpt het niet. 'Je zei net...'

'Ja, maar... Nou, dat is een lang verhaal. Ik moet het terugbetalen, maar het heeft geen haast.'

'En Martens?'

'Ik werk niet meer voor hem.'

Mijn vader haalt opgelucht adem.
'Maar het is nog niet klaar. Want u moet weer gaan goochelen.'
'Ik zou wel willen, maar ik heb ook geld geleend van Martens.'
'Dat heeft de dokter ook terugbetaald.'
'Alles?'
'484 gulden.'
'Dan moet ik het aan hem terugbetalen.'
'Nee, ik betaal het terug met werken voor de dokter en u moet weer gaan goochelen.'
'Ik weet het niet, jongen.'
Ik kan het niet helpen, ik krijg tranen in mijn ogen. 'Henri zei dat u goed was en dat u nog veel beter kon worden.'
'Niet huilen.'
'Ik weet dat u gesmokkeld heeft en dat u in het Huis van Bewaring zat, maar Joris weet het niet. Niemand weet het. Het kan nog.'
Papa legt voorzichtig een arm om mijn schouders en ik huil. Hij zegt niets tot ik klaar ben. Ik droog mijn tranen en ga staan.
'Help me even overeind.'
'Alleen als u het belooft.'
Een glimlach. Hij steekt zijn hand naar me uit, maar ik pak hem niet aan.
'Ik meen het.'
Hij laat zijn arm zakken maar steekt hem dan weer naar me uit.
'Ik probeer het.'
'Dat is niet hetzelfde.'
'Ik beloof het. Help je me nou overeind?'

‘Eén ding nog.’ Ik haal de brief van school uit mijn binnenzak. Ik haal hem uit de envelop en geef hem samen met een potlood aan mijn vader.

Mijn vader leest de brief, kijkt me aan en glimlacht. Dan legt hij de brief op zijn bovenbeen en zet er zijn handtekening onder.

‘Hier. Kunnen we nu gaan?’

Hij heeft echt last van zijn voet, óf hij vindt het fijn om me vast te houden. Het maakt me niet uit. Ik vind het fijn dat hij me vasthoudt en op weg naar huis op me leunt.

Finale

Het publiek is rumoerig en dat wordt nauwelijks minder als de voorstelling begint. Meneer Henri komt het podium op en even wordt het rustiger als hij Gregor en Otto aankondigt, maar nog voor het gordijn open is begint de zaal alweer te zoemen. Er wordt gepraat, met papiertjes geritseld en gehoest, er worden neuzen gesnoten.

Dan komen Gregor en Otto. Gregor tilt Otto op zijn schouders, Otto doet een handstand. Eerst op de schouders van Gregor, dan op zijn handen en daarna op zijn hoofd. Ze maken radslagen en zelfs salto's, maar hoe knap het ook is, erg spannend vindt de zaal het niet. Er wordt pas echt geklapt als Gregor met zijn eenwielfiets van het podium af rijdt en tussen de mensen op de eerste rij belandt.

Na Gregor en Otto komt Irma met haar hondjes, en nog steeds wordt er gesmoesd en gelachen op de verkeerde momenten. Ik maak me zorgen. Een buikspreker, ik kan zijn naam niet verstaan, wordt bekogeld met pinda's en vlucht tussen de coulissen nog voor zijn pop het eerste liedje helemaal gezongen heeft. Het publiek maakt meer lawaai dan de kinderen in mijn klas als de meester weg is.

Joris pakt mijn hand. Ik kijk opzij en probeer te glimlachen. Maak je niet druk, wil ik zeggen. Straks, als papa optreedt, zijn ze stil. Maar nu gonst de zaal van het gelach en geklets.

Het gordijn gaat open. Midden op het podium staat een grote kist. Iemand begint langzaam te klappen en hier en daar doen andere handen mee. Komt er nog wat van!

En dan komt mijn vader op. Hij jongleert met ballen, knotsen en ringen terwijl hij naar de rand van het podium loopt. Jongleren heb ik eerder gezien, maar dit is anders. Een bal die rood omlaag komt, gaat blauw weer omhoog, ringen veranderen in de handen van mijn vader in bloemen, in kegels, in gele ballen en weer in metalen ringen. Het is één doorlopende stroom van veranderende spullen. En dan, zonder dat je kan zien wat er gebeurt, verdwijnen ze een voor een tot er nog maar drie dingen over zijn, twee, een bal, niets meer. Daar staat mijn vader, alleen en midden op het podium. De zaal is stil.

'Dames en heren, Leon Roossen is mijn naam. Mag ik u voorstellen aan mijn assistente...'

Twee keer stampt mijn vader, dat is het teken, en daar komt Betty tussen de coulissen vandaan. Ze loopt naar de rand van het podium, draait een rondje om haar as en zakt dan door haar voorpoten. Mensen lachen en klappen. Betty komt weer overeind en loopt naar mijn vader, die haar een brokje geeft.

'Dat heb ik haar geleerd,' fluistert Joris tegen oma. De dokter glimt en zelfs opa kijkt trots.

Mijn vader klapt het deksel van de kist open en haalt er een grote stoffen zak uit. Hij legt hem open op de grond, leidt Betty naar het midden en tilt de rand van de zak op tot alleen de kop van Betty er nog uitsteekt. Ze lijkt het niet vervelend te vinden. Dan trekt mijn vader de zak helemaal dicht en knoopt er een dik wit touw omheen. Betty blijft gewoon staan. Mijn vader tilt haar op en zet haar voorzichtig in de kist. Een laatste klopje op haar rug en dan doet hij het deksel dicht. Hij knoopt een touw om de kist heen alsof het een cadeautje is en voelt aan het deksel: hij gaat niet meer open.

Henri komt aanlopen met een laag trapje onder zijn ene en een rood gordijn over zijn andere arm. Er zit een harde ring in de bovenkant van het gordijn en daaraan pakt mijn vader het vast. Hij klimt op de kist, stapt in de ring en tilt het gordijn op zodat het als een reusachtige jurk over de kist heen valt. Een knikje en dan tilt hij het gordijn zo hoog op dat hij erachter verdwijnt. Henri heeft het trapje naast de kist gezet. Hij klimt erop en pakt de ring van mijn vader over. Even laat hij het gordijn een stukje zakken om te laten zien dat mijn vader er nog is; dan houdt hij het weer omhoog. Drie tellen en dan laat hij het gordijn vallen. Mijn vader is verdwenen.

'Oh!' roept iemand. Voorzichtig wordt er geklapt.

Henri klimt van het trapje en begint het touw om de kist los te maken. Hij opent het deksel en dan maakt hij het touw los waarmee de zak dichtgeknoopt zit. De zak gaat open en daar is... mijn vader! Hij staat op, stapt uit de kist en buigt. Een applaus als een hagelbui. Mijn vader maakt een korte buiging, steekt dan een hand op en de zaal wordt stil. Tien, vijftien tellen en dan klinken in de stilte voetstapjes. Van achter uit de zaal komen ze langzaam naar voren. Mensen draaien zich om in hun stoelen, komen half overeind om iets te zien. Gelach rolt als een golf van achter in de zaal naar voren, gaat gelijk op met Betty, die onverstoorbaar door het gangpad tot bij het podium loopt. Mijn vader is van het podium geklommen en helpt Betty via een trapje aan de zijkant omhoog. Samen nemen ze het applaus in ontvangst. Dan draait mijn vader zich om en loopt weg, Betty achter hem aan. Vlak voor hij tussen de coulissen verdwijnt, draait papa zich nog even om en knipoogt. Dat was voor mij, ik weet het zeker. De gordijnen gaan dicht, maar het klappen houdt aan.

'Dat is mijn vader,' zeg ik tegen niemand in het bijzonder. 'Dat is mijn vader,' zeg ik nog een keer, en ik hoop dat iedereen het hoort.